bistrot

Responsables éditoriales : Suyapa Audigier & Brigitte Éveno

Direction artistique et réalisation : Guylaine & Christophe Moi

Fabrication : Nathalie Lautout

Collaboration rédactionnelle : Sophie Brissaud

Secrétariat d'édition : Sylvie Gauthier

Photographie des objets : Matthieu Csech

saveurs d'ici et d'ailleurs

bistrot

Valérie Lhomme

Photographies de Jean-Blaise Hall
Stylisme de Valérie Lhomme

HACHETTE

[Quand les saveurs fusionnent...]

Les frontières de la cuisine s'effacent graduellement, pour le plus grand plaisir de tous. Le tournant de ce siècle nous voit adopter, en douceur, de nouvelles habitudes culinaires. On ne parle plus de «cuisine exotique», car l'exotisme implique le lointain, le bizarre, et pas forcément l'authentique. Or il n'y a plus rien de bizarre à cuisiner chinois, indien, mexicain. La démarche actuelle consiste à trouver son inspiration partout où on le peut : l'essentiel est que le résultat soit bon. Naguère, s'essayer aux cuisines étrangères était une audace, une gageure ; aujourd'hui, cela fait partie de notre vie quotidienne. Des ingrédients qu'il fallait, auparavant, traquer avec un flair de détective ou se faire rapporter par des amis voyageurs sont désormais disponibles à notre porte, à la grande surface la plus proche ou chez l'épicier du coin. On n'a plus peur des épices, des flacons mystérieux, des fruits colorés — on apprend à s'en servir. Mieux, on essaie de les adapter aux mets de tous les jours. Le monde vient dans notre cuisine tout naturellement, avec toute la fraîcheur de ses saveurs ; on découvre, en même temps, des régimes différents, des principes diététiques qui nous font méditer. Notre cuisine est désormais le creuset d'une fusion sans complexe, et ce qui était autrefois inhabituel devient si familier qu'on en oublie ses origines étrangères.

Selon une étymologie amusante mais sans doute inexacte, le mot «bistrot» remonterait à l'époque napoléonienne : les soldats russes, à Paris, auraient crié *bistro* ! («vite !») pour se faire servir à boire. Plus sérieusement, on le ferait remonter à des termes poitevin ou du nord de la France. Comme l'origine du mot, la notion de bistrot est un peu flottante : c'est un restaurant modeste, cousin du bouchon lyonnais, des trattorias italiennes et des tavernes grecques. On le définit par son décor, son service et sa cuisine. Côté décor : banquettes en moleskine ; miroirs, panneaux de verre gravé ; chaises Thonet, tables en marbre. Côté service : gouaille, humour et célérité, avec ou sans moustache ; serveurs en noir et en tablier blanc. La mythologie du bistrot rejoint celle de la guinguette, de tous ces lieux en voie de disparition où l'on se restaurait et se distrayait simplement. Côté cuisine, des plats de répertoire, vite servis et vite dégustés — en réalité une cuisine proche de la tradition française dite «bourgeoise» ou «de ménage» mais plongeant ses racines dans l'exode rural de la fin du XIXᵉ siècle : le bougnat, venu avec ses vins, ses charbons, ses petits salés aux lentilles partage la paternité du bistrot avec le brasseur alsacien monté à Paris avec ses choucroutes et ses escargots. Depuis une vingtaine d'années, le bistrot connaît un regain de popularité ; nombreux sont les cuisiniers, et même les grands chefs, qui maintiennent le genre en reprenant les vieilles recettes et en ajoutant de nouvelles perles au fonds traditionnel. Comme eux, faites bistrot chez vous...

sommaire

soupes

soupes

la tradition du bouillon

Enfant, on chipote devant «la soupe qui fait grandir». Et puis on grandit...

Gardienne de la tradition des anciens «bouillons», la cuisine bistrot se refuse

à abandonner le potage des familles, de la soupe à l'oignon qui ressuscitait

les fêtards au petit matin, dans le quartier des Halles, à la soupe de poisson

que tout le monde adore, en passant par des variations plus raffinées.

4-6 personnes
Préparation : 10 min
Cuisson : 30 min

400 g d'oignons
80 g de beurre salé
1 pincée de 4-épices
10 g de farine
1,5 litre de bouillon
de volaille (p. 16)
1 baguette
100 g de gruyère râpé
sel et poivre du moulin

[soupe à l'oignon gratinée]

Pelez et émincez les oignons puis faites-les blondir 15 min dans le beurre. Poivrez, ajoutez la pincée de 4-épices. Remuez de temps en temps pour éviter qu'ils ne brunissent trop.

Quand ils sont bien dorés, saupoudrez de farine, versez le bouillon et laissez mijoter 30 min à couvert. Rectifiez l'assaisonnement. Détaillez la baguette en rondelles, toastez celles-ci légèrement.

Répartissez la soupe dans les bols, posez quelques croûtons dessus, parsemez de gruyère râpé. Faites gratiner sous le gril du four juste avant de servir.

[soupe au pistou]

4-6 personnes
Préparation : 30 min
Cuisson : 2 h

2 courgettes
2 pommes de terre
1 kg de haricots blancs
à écosser, ou 500 g écossés
1,5 kg de fèves à écosser,
ou 500 g écossées
125 g de cocos plats
2 tomates
2 gousses d'ail
1 oignon
quelques feuilles de basilic
100 g de spaghettis
50 g de parmesan
gros sel, poivre du moulin

Pour le pistou :
1 tomate
1 bouquet de basilic
4 gousses d'ail
50 g de parmesan
10 cl d'huile d'olive

Lavez les courgettes puis coupez-les en petits morceaux. Épluchez et lavez les pommes de terre, coupez-les en cubes. Écossez les haricots et les fèves (s'ils ne le sont déjà). Ôtez la peau des fèves. Effilez les cocos plats et coupez-les en quatre.

Fendez les tomates de la pointe d'un couteau puis ébouillantez-les 1 min. Passez-les ensuite sous l'eau froide pour arrêter la cuisson et pelez-les. Épépinez-les et hachez-les grossièrement. Épluchez l'ail et l'oignon. Hachez grossièrement ce dernier et écrasez les gousses d'ail du plat d'un couteau. Lavez et séchez le basilic.

Mettez tous les légumes dans un grand faitout, couvrez de 2 litres d'eau et portez doucement à ébullition. Salez d'une poignée de gros sel, poivrez et laissez frémir 1 h 30.

Pendant ce temps, préparez le pistou. Ébouillantez la tomate 10 secondes, rafraîchissez-la et pelez-la ; épépinez-la, concassez la pulpe. Lavez, séchez et effeuillez le basilic. Pelez et dégermez les gousses d'ail. Réunissez ces ingrédients dans un mortier, saupoudrez de 50 g de parmesan et pilez en versant l'huile d'olive en filet pour obtenir une pommade.

Cassez les spaghettis en quatre et faites-les cuire 15 min dans la soupe.

Arrêtez alors la cuisson, ajoutez le pistou, mélangez, couvrez et patientez quelques instants avant de servir. Saupoudrez du reste de parmesan et dégustez aussitôt.

[potage de légumes aux croûtons aillés]

Lavez, pelez puis coupez en petits morceaux les carottes, les poireaux, les navets, la boule de céleri et les pommes de terre. Détaillez le bacon en cubes. Pelez 1 gousse d'ail et l'oignon, hachez-les finement. Lavez, essorez, puis hachez presque tout le bouquet de persil, gardez quelques feuilles pour les finitions.

Dans un large faitout, faites fondre 60 g de beurre. Lorsqu'il est mousseux, ajoutez le bacon, l'ail et l'oignon hachés. Faites légèrement dorer, puis ajoutez tous les légumes. Faites suer quelques minutes à couvert, salez, poivrez. Couvrez du bouillon et laissez mijoter 45 min à couvert.

Lorsque tous les légumes sont cuits et tendres, ajoutez le persil haché, faites cuire encore 3 min et passez le tout au mixeur. Rectifiez l'assaisonnement et ajoutez un peu d'eau si nécessaire. Réservez au chaud.

Dans une poêle, faites revenir 2 min de chaque côté les tranches de pain de campagne dans 20 g de beurre salé. Frottez-les ensuite avec la gousse d'ail entière avant de les détailler en petits morceaux.

Servez le potage parsemé de feuilles de persil et de croûtons aillés.

4-6 personnes
Préparation : 15 min
Cuisson : 45 min

250 g de carottes
250 g de poireaux
250 g de navets
150 g de céleri-rave
250 g de pommes de terre
150 g de bacon
2 gousses d'ail
1 oignon
1 bouquet de persil plat
80 g de beurre salé
1,5 litre de bouillon
de volaille (p. 16)
3 tranches de pain
de campagne au levain
gros sel gris et poivre
du moulin

[soupe de potimarron à la cannelle]

4 personnes
Préparation : 20 min
Cuisson : 30 min

1 bouquet de cerfeuil
2 échalotes
1,7 kg de potimarron
40 g de beurre
2 cuil. à café rases
de gros sel
20 cl de crème fleurette
4 pincées de cannelle
fraîchement moulue
sel fin et poivre du moulin

Lavez, séchez, effeuillez le cerfeuil, réservez-le au frais. Pelez et hachez grossièrement les échalotes. Pelez, épépinez le potimarron, coupez la chair en petits morceaux.

Dans une large cocotte, faites chauffer le beurre. Quand il est fondu, mettez-y les échalotes à suer : elles doivent devenir transparentes. Ajoutez alors les dés de potimarron, le gros sel et 25 cl d'eau. Couvrez et laissez mijoter 30 min.

Mixez finement la purée de potimarron, puis mélangez-la délicatement avec la crème fleurette et la cannelle en poudre. Salez à nouveau si c'est nécessaire, donnez quelques tours de moulin à poivre. Juste avant de servir, ajoutez, hors du feu, les pluches de cerfeuil.

[potage parmentier au comté]

4 personnes
Préparation : 15 min
Cuisson : 20 min

1 kg de pommes de terre
à purée
100 g de comté
1 gousse d'ail
60 cl de lait entier
pasteurisé
80 g de beurre
1 pincée de carvi en poudre
sel et poivre du moulin

Pelez et lavez les pommes de terre, coupez-les en morceaux. Saupoudrez de sel et faites cuire environ 20 min à la vapeur.

Râpez le fromage. Frottez un caquelon avec la gousse d'ail pelée mais entière, faites-y chauffer le lait avec le beurre.

Passez les pommes de terre au moulin à légumes muni d'une grille fine. Versez petit à petit le lait chaud en fouettant pour que le mélange devienne mousseux, ajoutez la pointe de carvi, la moitié du comté râpé, du poivre. Mélangez délicatement.

Servez bien chaud, accompagné du reste de comté.

[bouillon de volaille]

Lavez, pelez et coupez grossièrement les légumes. Dans un faitout, mettez les carcasses et les abattis et versez 2 litres d'eau. Portez à ébullition, écumez, puis ajoutez les légumes, le bouquet garni, l'oignon piqué du clou de girofle, 1 poignée de gros sel et des grains de poivre.

Couvrez à demi et laissez frémir 1 h 30. Filtrez le bouillon, laissez totalement refroidir avant de réserver au frais.

1,5 litre de bouillon
Préparation : 10 min
Cuisson : 1 h 40

2 carottes
1 poireau
1 branche de céleri
2 carcasses de volaille
et les abattis
1 oignon piqué de 1 clou
de girofle
1 bouquet garni (1 feuille
de laurier, queues de persil,
1 branche de thym)
gros sel gris, poivre en grains

[tuiles de parmesan]

10 tuiles environ
Préparation : 2 min
Cuisson : 2 min

100 g de parmesan
fraîchement et finement
râpé
1 cuil. à soupe de farine
tamisée

Mélangez la farine au parmesan finement râpé. Dans une poêle antiadhésive, mettez un peu de ce mélange et faites fondre à feu très doux sans laisser dorer.

Dès que vous obtenez une dentelle, décollez-la délicatement à l'aide d'une spatule, puis faites-la refroidir sur un rouleau à pâtisserie afin qu'elle prenne une forme courbe.

Vous pouvez préparer ces tuiles quelques heures à l'avance. Elles seront délicieuses dégustées avec une coupe de champagne ou pour combler un petit creux juste avant que n'arrive une pleine soupière à table.

[gaspacho
au chèvre frais]

4 personnes
Préparation : 15 min

8 belles tomates mûres
10 g de fleur de sel
15 cl d'huile d'olive
8 olives noires
1 fromage de chèvre frais
1 bouquet de ciboulette
8 glaçons
poivre du moulin

Portez à ébullition une grande quantité d'eau. Incisez les tomates de la pointe d'un couteau, plongez-les dans l'eau bouillante 2 min. Sortez-les et passez-les sous l'eau froide pour stopper leur cuisson. Pelez-les.

Réduisez les tomates en purée au moulin à légumes muni d'une grille fine (qui ne laissera pas passer les pépins), en ajoutant petit à petit la fleur de sel et l'huile d'olive. Réservez au frais.

Hachez grossièrement les olives noires. Détaillez en fines tranches le fromage. Lavez, séchez puis ciselez la ciboulette.

Avant de déguster le gaspacho, ajoutez les glaçons pour le «frapper». Rectifiez l'assaisonnement si nécessaire. Servez accompagné d'olives, de fromage frais, de ciboulette et d'un moulin à poivre.

[œufs en cocotte]

Préchauffez le four à 180 °C (th. 6), placez-y un bain-marie. Beurrez 4 ramequins.

Essuyez et ciselez les brins de ciboulette, mélangez avec la crème fraîche, poivrez et salez.

Cassez 1 œuf dans chaque ramequin, ajoutez un peu de crème à la ciboulette et faites cuire 6 min au bain-marie. Dégustez avec des «mouillettes» toastées.

Selon le même principe, vous pouvez préparer des œufs en meurette : ils seront alors pochés dans une sauce à base de vin rouge, d'oignons et de lardons, puis nappés de celle-ci. Servis avec des «mouillettes», ces œufs rappelleront qu'à l'origine la «soupe» se composait d'une tranche de pain recouverte de bouillon, de vin ou de sauce.

4 personnes
Préparation : 2 min
Cuisson : 6 min

20 g de beurre
8 brins de ciboulette
4 cuil. à café de crème fraîche épaisse
4 gros œufs extrafrais
sel et poivre du moulin

Pour réaliser une variante juive polonaise de ces ravioles de volaille, les *kreplach*, hachez des foies de volaille cuits rosés avec un peu de ciboulette ciselée. Salez, poivrez, mélangez bien et farcissez-en les carrés de pâte.

[bouillon de poule aux ravioles]

Salez et poivrez l'intérieur de la poule. Nettoyez et lavez tous les légumes, séchez-les. Coupez les branches de céleri en bâtonnets, liez les poireaux, gardez les carottes, les navets et les oignons entiers.

Dans un grand faitout, portez à ébullition le bouillon de volaille. Ajoutez le bouquet garni, les grains de poivre et la poule. Portez de nouveau à ébullition, puis laissez mijoter 30 min : la volaille ne doit pas bouillir pour ne pas se défaire. À mi-cuisson, ajoutez les légumes.

Lorsque la poule est cuite, sortez-la du bouillon et laissez-la refroidir. Détachez la chair, hachez-la finement, rectifiez l'assaisonnement si nécessaire, puis liez avec l'œuf battu.

Formez des petites noisettes de farce. Sur un plan de travail légèrement fariné, étalez les carrés de wonton. Au centre de chacun, déposez 1 noisette de farce. Mouillez le tour au pinceau imprégné d'eau et posez par-dessus un second carré. Pressez du bout des doigts pour coller les deux pâtes et coupez le surplus à la roulette à pâtisserie. Procédez ainsi jusqu'à épuisement de la farce. Réservez ces ravioles sur un plateau fariné couvert d'une feuille de papier sulfurisé.

Éliminez le bouquet garni, les grains de poivre, les oignons et les poireaux. Coupez les autres légumes en petits morceaux, remettez-les dans le bouillon et faites chauffer le tout. Au moment de servir, plongez les ravioles dans le bouillon brûlant et faites-les cuire 4 min. Servez aussitôt.

4-6 personnes
Préparation : 35 min
Cuisson : 45 min environ

1 poule de 1,2 kg, vidée
2 branches de céleri
2 poireaux
2 carottes
2 petits navets
2 oignons
2 litres de bouillon
de volaille (p. 16)
1 bouquet garni (thym,
laurier, queues de persil)
5 grains de poivre
1 œuf
1 paquet de pâte à wontons
(raviolis chinois)
farine, sel, poivre

[soupe de coquilles Saint-Jacques]

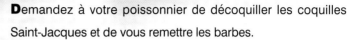

4 personnes
Préparation : 30 min
Cuisson : 30 min

12 coquilles Saint-Jacques
2 poireaux
3 carottes
2 pommes de terre
1 petit navet
1 oignon
1 branche de céleri
5 branches de persil plat
100 g de poitrine fumée
50 g de beurre salé
20 cl de crème fraîche épaisse

Pour le fumet :
1 branche de thym
1 feuille de laurier
quelques queues de persil
20 g de beurre salé
1 oignon piqué
de 1 clou de girofle
20 cl de vin blanc sec
gros sel, poivre du moulin

Demandez à votre poissonnier de décoquiller les coquilles Saint-Jacques et de vous remettre les barbes.

Préparez le fumet : liez les queues de persil, la branche de thym et la feuille de laurier ; dans une cocotte, faites fondre le beurre, et, lorsqu'il est mousseux, ajoutez les barbes de Saint-Jacques, l'oignon piqué du clou de girofle et le bouquet garni. Salez au gros sel, poivrez, versez le vin blanc et 1,3 litre d'eau. Faites cuire 20 min à feu doux.

Pendant ce temps, éliminez les feuilles fanées et lavez les poireaux, émincez-les ; lavez et pelez les carottes, les pommes de terre, le navet et l'oignon, puis coupez-les en petits morceaux. Nettoyez la branche de céleri, coupez-la également en dés. Effeuillez et lavez le persil plat.

Enlevez la couenne du lard fumé. Dans une cocotte, faites fondre le beurre, et, lorsqu'il est mousseux, faites-y revenir la poitrine, puis les légumes ; faites suer jusqu'à ce qu'ils deviennent transparents et tendres.

Filtrez le fumet de coquilles Saint-Jacques et versez-le sur les petits légumes. Laissez mijoter 5 min, puis ajoutez les feuilles de persil et mixez finement.

Tranchez les noix de Saint-Jacques en deux dans l'épaisseur, puis faites-les pocher 5 min dans la soupe frémissante. Rectifiez l'assaisonnement si nécessaire.

Servez aussitôt en ajoutant 1 cuillerée à soupe de crème fraîche dans chaque assiette.

[soupe poireaux-pommes de terre au parmesan]

4 personnes
Préparation : 20 min
Cuisson : 25 min environ

3 poireaux
5 pommes de terre
40 g de beurre
1 litre de bouillon
de volaille (p. 16)
75 g de parmesan râpé
sel et poivre du moulin

Après avoir ôté les feuilles fanées et très foncées, lavez les poireaux, puis coupez-les en bâtonnets. Pelez et lavez les pommes de terre, coupez-les en cubes.

Dans une grande casserole, faites fondre le beurre. Lorsqu'il est mousseux, ajoutez la julienne de poireaux et les dés de pomme de terre, faites-les revenir doucement sans dorer. Versez le bouillon de volaille et portez à ébullition. Baissez le feu et laissez mijoter 20-30 min selon la grosseur et la tendreté des légumes.

Prélevez une petite partie des pommes de terre, mixez finement et réintégrez à la soupe. Poivrez, ajoutez la moitié du parmesan, mélangez bien et rectifiez l'assaisonnement si nécessaire. Répartissez la soupe dans les assiettes et saupoudrez du reste de parmesan.

[soupe de pois cassés]

4 personnes
Trempage : 1 h
Cuisson : 1 h

200 g de pois cassés
2 gousses d'ail
1 litre de bouillon
de volaille (p. 16)
1 bouquet garni (thym,
laurier, queues de persil)
5 g de gros sel
2 belles tranches de pain
de campagne
4 cuil. à soupe d'huile
d'olive fruitée
feuilles de persil plat
gros sel et poivre du moulin

Mettez les pois cassés dans une jatte contenant 2 litres d'eau et laissez-les tremper 1 h. Pelez, dégermez et écrasez les gousses d'ail.

Rincez les pois cassés, mettez-les dans une casserole. Couvrez-les de bouillon, ajoutez le bouquet garni et le gros sel et portez à ébullition. Écumez, laissez mijoter 1 h à demi couvert.

Détaillez en petits cubes le pain de campagne, faites-les frire dans 3 cuillerées à soupe d'huile d'olive. Égouttez-les.

Éliminez le bouquet garni, puis passez les pois cassés au moulin à légumes muni d'une grille fine. Allongez la purée avec le bouillon de cuisson jusqu'à obtenir un velouté, poivrez, salez si nécessaire.

Servez arrosé d'un trait d'huile d'olive et parsemé de croûtons et de persil.

Coupez les piments en deux, épépinez-les. Dans un mortier, pilez-les avec l'ail pelé et dégermé, le gros sel et le safran. Réduisez en pâte.

Écrasez, si vous l'utilisez, la pomme de terre à la fourchette, puis ajoutez-la à la pâte pimentée ainsi que le pain de mie. Continuez de piler et de tourner tout en versant l'huile d'olive et le fumet de poisson : la sauce doit épaissir.

Pour la rendre plus goûteuse, vous pouvez lui ajouter le foie d'une rascasse ou d'un rouget barbet.

Vous la servirez avec une soupe de poisson (p. 28).

4 personnes
Préparation : 10 min

2 petits piments frais
3 gousses d'ail
1 pincée de gros sel
4 filaments de safran
1 pomme de terre cuite
(facultatif)
1 tranche de pain de mie
3 cuil. à soupe d'huile d'olive
10 cl de fumet de poisson
(p. 68)

[rouille]

La soupe de poisson est un plat au succès universel,

qu'elle prenne les accents méridionaux de la recette sui-

vante ou des arômes plus océaniques. Elle est présente

sur toutes les côtes, de la Méditerranée à la mer du Nord,

mais aussi sur les tables des bistrots des grandes villes.

Pour que le plaisir soit complet, n'oubliez pas les gousses

d'ail à frotter sur les croûtons tièdes et un vin blanc frais.

[soupe de poisson]

Demandez à votre poissonnier de lever les filets des poissons et de vous remettre les parures. Enfermez celles-ci dans une étamine, réservez.

Nettoyez le poireau, les carottes et le céleri, coupez-les en petits morceaux. Épluchez et hachez l'oignon, les échalotes et les gousses d'ail. Épépinez le piment.

Préparez le bouquet garni en liant thym, laurier et queues de persil. Incisez les tomates de la pointe d'un couteau puis plongez-les 2 min dans l'eau pour pouvoir les peler. Épépinez-les et hachez-les grossièrement.

Faites chauffer l'huile dans un grand faitout et faites-y revenir l'ail, l'oignon et les échalotes. Ajoutez ensuite les légumes préparés. Salez, poivrez, puis couvrez des filets de poisson et des parures. Versez environ 1 litre d'eau, ajoutez le bouquet garni et le piment et laissez cuire 20 min à feu doux.

Éliminez alors l'étamine contenant les parures de poisson ainsi que le bouquet garni. Passez la soupe au mixeur, rectifiez l'assaisonnement.

4 personnes
Préparation : 20 min
Cuisson : 40 min

1,5 kg de poissons de roche
(rouget grondin, rascasse,
congre, rouget barbet)
1 poireau
2 carottes
1 branche de céleri
1 oignon
3 échalotes
2 gousses d'ail
1 piment rouge
1 bouquet garni (thym,
laurier, queues de persil)
500 g de tomates
20 cl d'huile d'olive
1 dose de safran
sel et poivre du moulin
croûtons grillés, rouille
(p. 26) pour servir

Ajoutez le safran et laissez mijoter encore 10 min.

Servez aussitôt avec des croûtons grillés et de la rouille.

4 personnes
Préparation : 20 min
Cuisson : 15 min

1 kg de céleri-rave
1 belle pomme de terre
à purée
3 cuil. à café rases
de gros sel gris
1 pincée de noix
de muscade râpée
1 cuil. à soupe d'huile
d'olive
1 cuil. à café d'huile
de noisette
15 cl de crème fraîche
liquide
8 tranches fines de lard
fumé
1 branche de céleri
sel et poivre du moulin

[crème de céleri
au lard grillé]

Pelez, lavez et séchez le céleri-rave et la pomme de terre. Détaillez-les en petits morceaux. Portez à ébullition 50 cl d'eau salée au gros sel, plongez-y les légumes et laissez-les cuire 15 min, jusqu'à ce qu'ils soient tendres ; vérifiez la cuisson en les piquant de la pointe d'un couteau.

Passez-les au moulin à légumes muni d'une grille fine en ajoutant suffisamment d'eau de cuisson pour obtenir un potage onctueux. Ajoutez la noix de muscade fraîchement râpée, les deux huiles, la crème fraîche, mixez. Poivrez, salez légèrement. Réservez au chaud.

Dans une poêle antiadhésive, faites dorer à sec les tranches de lard sur les deux faces. Répartissez la crème de céleri dans les assiettes, déposez 2 tranches de lard croustillantes dessus, quelques feuilles de céleri, et dégustez aussitôt.

entrées

entrées

salades
sur le zinc

Savourées au comptoir ou sur des tables en marbre, les entrées canailles

prennent un petit coup de jeune avec des aromates à la mode : aneth, pistache,

sauce soja. Le bistrot, toutefois, garde jalousement des secrets ancestraux : l'art

des vinaigrettes bien dosées, des terrines, des pressés, des poissons marinés

et des salades composées qui sont un petit repas à elles seules.

[salade d'endives aux pistaches grillées]

4 personnes
Préparation : 20 min environ

3 endives bien blanches
4 cuil. à soupe d'huile d'olive
2 cuil. à soupe d'huile de noix
2 cuil. à soupe de vinaigre
de xérès
150 g de bleu d'Auvergne
ou de stilton
100 g de pistaches
non salées
sel et poivre du moulin

Effeuillez puis lavez et séchez les endives. Préparez la vinaigrette en mélangeant, sans trop émulsionner, les deux huiles et le vinaigre, salez, poivrez. Émiettez le bleu. **D**ans une poêle antiadhésive, faites griller 3 min à sec les pistaches. Coupez en deux les feuilles d'endive, assaisonnez-les de vinaigrette, ajoutez le fromage et les pistaches encore chaudes. **M**élangez délicatement, servez aussitôt.

[salade d'épinards au haddock et à l'aneth]

4 personnes
Préparation : 15 min

1/2 citron jaune
1 citron vert
1 botte d'aneth
400 g de haddock
4 belles poignées
de pousses d'épinard
4 cuil. à soupe d'huile
d'olive
2 cuil. à café d'huile
de pistache ou de noisette
sel et poivre du moulin

Pressez le demi-citron jaune et le citron vert séparément. Lavez, séchez et ciselez l'aneth. Émincez le haddock, couvrez-le de jus de citron vert. Parsemez dessus la moitié de l'aneth, réservez. Lavez et essorez délicatement les pousses d'épinard.

Préparez la vinaigrette en mélangeant les deux huiles, le jus de citron jaune et le poivre. Salez très légèrement, le haddock l'étant déjà.

Assaisonnez la salade d'épinards, puis répartissez-la dans chaque assiette. Couvrez de haddock émincé et du reste d'aneth. Servez sans attendre.

[pressé de lapin aux petits légumes]

Demandez à votre boucher de couper le lapin en petits morceaux et de vous remettre les abats.

Pelez les oignons grelots et les carottes. Lavez ces dernières, taillez-les en rondelles. Lavez et séchez l'estragon, effeuillez-le. Pelez la gousse d'ail.

Faites fondre le beurre dans une cocotte. Lorsqu'il est mousseux, ajoutez les morceaux de lapin, les oignons grelots, le thym, l'ail et le laurier. Salez et poivrez. Faites colorer doucement, puis mouillez avec le vin blanc sec ; émiettez le demi-cube de bouillon de volaille. Laissez mijoter 30 min. Ajoutez alors les carottes, les petits pois, le foie et les rognons du lapin et laissez la cuisson se poursuivre encore 10 min environ.

Lorsque le lapin est cuit, désossez-le, effilochez la chair, coupez les abats en petits morceaux. Éliminez le thym, le laurier et l'ail, puis filtrez le jus de cuisson et faites-le réduire 5 min à feu vif.

Faites ramollir les feuilles de gélatine dans un bol d'eau froide, égouttez-les et, hors du feu, plongez-les dans le jus chaud. Ajoutez les feuilles d'estragon.

Tapissez un moule à cake de 28 x 12 cm de film alimentaire. Garnissez-le de morceaux de lapin aux légumes en versant du jus de cuisson au fur et à mesure. Rabattez le film, tassez en posant par-dessus une planchette et un poids. Gardez 12 h au réfrigérateur avant de déguster avec une mayonnaise à l'estragon, des cornichons ou de la confiture d'oignons (p. 37).

4 personnes
Préparation : 30 min
Cuisson : 40 min
Réfrigération : 12 h

1 lapin et ses abats
100 g d'oignons grelots
4 carottes nouvelles
1/2 bouquet d'estragon
1 gousse d'ail
40 g de beurre
1 brin de thym
1 feuille de laurier
75 cl de vin blanc sec
1/2 cube de bouillon
de volaille
1 poignée de petits pois
frais écossés
4 feuilles de gélatine
sel et poivre du moulin

[salade de magret fumé, pommes et raisin frais]

4 personnes
Préparation : 15 min

3 belles pommes acidulées
1/2 citron jaune
1 grappe de raisin muscat
ou Italia
1 poignée de roquette
1 petit bouquet de coriandre
1 magret de canard fumé,
tranché

Pour la vinaigrette :
2 cuil. à soupe d'huile
de pépins de raisin
1 cuil. à soupe d'huile
de sésame grillé
1 cuil. à soupe d'huile
d'olive
1 cuil. à soupe de sauce
soja japonaise
1 cuil. à soupe de vinaigre
de vin
2 pincées de 5-parfums
sel et poivre du moulin

Lavez les pommes, évidez-les et coupez-les en fines tranches. Citronnez légèrement la pulpe afin qu'elle ne noircisse pas. Lavez et égrappez le raisin. Lavez et essorez la roquette et la coriandre.

Préparez la vinaigrette en mélangeant les huiles, puis la sauce soja, le vinaigre de vin et le 5-parfums ; salez, poivrez.

Répartissez dans chaque assiette, en les intercalant, des tranches de magret fumé et des lamelles de pomme. Ajoutez un peu de roquette, de coriandre et quelques grains de raisin. Assaisonnez de vinaigrette. Servez.

[confiture d'oignons]

4 personnes
Préparation : 10 min
Cuisson : 30 min

1 kg d'oignons
20 cl de vin blanc sec
300 g de sucre roux
1 petit bâton de cannelle
1 clou de girofle
10 cl de crème de cassis

Épluchez les oignons puis coupez-les en fines rondelles.

Dans une casserole, portez à ébullition le vin blanc et le sucre roux.

Ajoutez les oignons émincés, la cannelle, le clou de girofle et la crème de cassis. Laissez cuire 30 min à feu doux en remuant de temps en temps.

Versez dans un bocal à fermeture hermétique et gardez quelques jours au réfrigérateur.

C'est le condiment idéal pour accompagner les volailles, les viandes blanches froides et les terrines.

[terrine de foies
de volaille au porto]

Nettoyez bien les foies de volaille et ôtez toute trace de fiel. Passez au hachoir, muni d'une grille fine, le lard gras et les foies de volaille.

Battez ensemble la crème fraîche, les jaunes d'œufs, le porto et le 4-épices. Salez, poivrez. Ajoutez le lard et les foies hachés, puis mixez pour obtenir une consistance crémeuse. Rectifiez l'assaisonnement si nécessaire.

Préchauffez le four à 180 °C (th. 6), et préparez un bain-marie en versant de l'eau bouillante dans un plat suffisamment grand pour contenir une terrine d'environ 75 cl.

Lavez et séchez les feuilles de laurier. Posez 1 feuille au fond de la terrine, versez la crème de foies de volaille, posez la seconde feuille dessus. Enfournez et faites cuire 40 min au bain-marie. Attendez que la terrine ait totalement refroidi avant de la mettre au réfrigérateur.

4 personnes
Préparation : 20 min
Cuisson : 40 min

320 g de foies de volaille
250 g de lard gras
20 cl de crème fraîche
3 jaunes d'œufs
5 cl de porto
1 pincée de 4-épices
2 feuilles de laurier
sel et poivre du moulin

4 personnes
Préparation : 10 min
Réfrigération : 30 min

12 sardines très fraîches
1 échalote
2 beaux oignons violets
1 petit bouquet d'aneth
1 petit bouquet
de ciboulette
1 petit bouquet de coriandre
2 citrons jaunes
8 cuil. à soupe d'huile
d'olive fruitée
fleur de sel
poivres mélangés du moulin
4 tranches de pain au levain
aillées pour servir

[sardines crues
marinées aux herbes]

Demandez à votre poissonnier de vider, d'écailler et de lever les filets des sardines. Rincez-les et séchez-les dans un linge. Posez-les à plat dans une grande assiette, parsemez de fleur de sel.

Pelez l'échalote et les oignons violets. Lavez et séchez les herbes, hachez-les grossièrement ainsi que l'échalote. Taillez les oignons violets en fines rondelles. Pressez les citrons et mélangez leur jus à l'huile d'olive. Ajoutez les herbes, l'échalote, les oignons, poivrez.

Versez sur les sardines, couvrez d'un film alimentaire et réservez 30 min au frais avant de servir. Accompagnez de tranches de pain grillé frottées d'ail.

[cornichons et petits oignons au vinaigre]

1 grand bocal
(ou 4 petits bocaux)
Préparation : 30 min
Macération : 24 h

1 kg de cornichons
300 g d'oignons grelots
1 litre de vinaigre blanc
1 branche d'estragon
2 gousses d'ail
1 cuil. à café de graines
de coriandre
1 cuil. à café de graines
de moutarde
1/2 cuil. à café de grains
de poivre
2 clous de girofle
1 branche de thym
gros sel de mer

Brossez les cornichons puis mettez-les dans une terrine. Enrobez-les de gros sel et laissez-les macérer 24 h.

Le lendemain, épluchez les petits oignons. Lavez les cornichons dans une eau vinaigrée puis essuyez-les un à un. Portez à ébullition une casserole d'eau et plongez-y la branche d'estragon quelques secondes pour la blanchir, rafraîchissez-la et séchez-la. Pelez les gousses d'ail et coupez-les en deux.

Mettez les cornichons, les oignons blancs ainsi que tous les aromates dans le bocal. Couvrez de vinaigre blanc et fermez hermétiquement. Attendez au moins 6 semaines avant de consommer.

Plus le temps passe, meilleurs ils deviendront. Attention, cependant, à ne pas les garder plus de 1 an.

[champignons de Paris à la crème citronnée]

4 personnes
Préparation : 10 min

600 g de champignons
de Paris, blancs et fermes
20 cl de crème fraîche
le jus de 1 citron jaune
le jus de 1 citron vert
1 cuil. à café de 4-épices
2 pincées de gingembre
en poudre
sel et poivre du moulin

Coupez le bout du pied terreux puis lavez les champignons rapidement sous l'eau courante. Séchez-les et émincez-les sur toute leur longueur en les citronnant au fur et à mesure pour qu'ils ne noircissent pas.

Mélangez la crème fraîche au jus des citrons, salez, poivrez, et ajoutez le 4-épices et le gingembre. Mélangez avant d'y incorporer délicatement les champignons. Réservez au frais jusqu'au moment de servir.

Cette entrée a acquis sa popularité dans les bistrots parisiens des années 70.

On utilisait alors du crottin de Chavignol qu'on faisait dorer plus longuement.

Vous pouvez toujours vous en servir tranché pour cette recette.

[salade de chèvres chauds]

Lavez la mâche dans plusieurs eaux en veillant bien à ne pas laisser de sable, très désagréable sous la dent.

Lavez les pommes, ôtez-en le cœur et les pépins. Prélevez dans la partie la plus charnue 2 belles rondelles de 1 cm d'épaisseur. Posez 1 fromage sur chacune, saupoudrez d'un peu thym et de 1 pincée de sel, donnez un tour de moulin à poivre.

Placez les pommes au chèvre dans un plat et glissez celui-ci sous le gril du four. Faites cuire 3 min, juste le temps que les chèvres dorent et en surveillant qu'ils ne s'étalent pas trop.

Préparez la vinaigrette en mélangeant les huiles et le vinaigre, salez, poivrez. Assaisonnez la mâche, répartissez-la dans les assiettes, ajoutez les cerneaux de noix, et déposez les pommes au chèvre chaud dessus. Dégustez sans attendre.

4 personnes
Préparation : 15 min

4 belles poignées
de mâche
2 pommes acidulées
4 rocamadours ou 4 petits
chèvres crémeux
2 cuil. à soupe de cerneaux
de noix de pécan
1 cuil. à café de thym frais

Pour la vinaigrette :
3 cuil. à soupe d'huile
d'olive
2 cuil. à soupe d'huile
d'arachide
1 cuil. à soupe d'huile
de noix
2 cuil. à soupe de vinaigre
balsamique
sel et poivre du moulin

[les vinaigrettes]

vinaigrette « classique »

1 échalote grise
3 cuil. à soupe d'huile
de tournesol
3 cuil. à soupe d'huile d'olive
2 cuil. à soupe de vinaigre
de vin ou de xérès
sel et poivre du moulin

Pelez et hachez l'échalote, mélangez-la avec le vinaigre, puis versez les huiles sans cesser de remuer. Salez, poivrez. Cette vinaigrette est parfaite pour assaisonner une laitue.

Pour assaisonner une salade chinoise, remplacez 1 cuillerée d'huile de tournesol par de l'huile de sésame grillé et ajoutez un peu de sauce soja.

Pour une salade tiède de coquilles Saint-Jacques, réduisez la quantité de vinaigre et utilisez de préférence un mélange d'huiles fines (de pistache, de noisette ou de noix par exemple).

vinaigrette aux herbes

4 cuil. à soupe d'huile d'olive
2 cuil. à soupe d'huile
de tournesol
1 cuil. à soupe de persil plat
finement haché
1 cuil. à soupe d'estragon
finement haché
3 cuil. à soupe de jus de citron
sel et poivre du moulin

Mélangez les huiles et les herbes hachées, puis ajoutez le jus de citron. Salez et poivrez. Cette vinaigrette convient particulièrement pour relever un poisson froid ou quelques légumes croquants.

vinaigrette à la tapenade

3 cuil. à soupe de vinaigre
balsamique
1 cuil. à soupe de tapenade
d'olives noires
6 cuil. à soupe d'huile d'olive
sel et poivre du moulin

Mélangez le vinaigre balsamique à la tapenade. Sans cesser de remuer, ajoutez l'huile d'olive, salez légèrement et poivrez. Cette vinaigrette accompagne les salades un peu amères telle que la trévise et donnera un petit air coquin aux poireaux tièdes.

Les huiles et les vinaigres, conservés au frais et à l'abri de la lumière, se gardent longtemps. Aussi n'hésitez pas à en avoir un large éventail à votre disposition, afin de renouveler vos recettes et d'adapter vos choix au mets servi.

[moules marinière au curry]

4 personnes
Préparation : 15 min
Cuisson : 15 min

2 litres de moules
(environ 1,5 kg)
2 belles échalotes
6 brins de persil plat
1 bouquet garni (queues
de persil, thym et laurier)
40 g de beurre
1 cuil. à soupe de curry
en poudre
20 cl de vin blanc sec
10 cl de crème fraîche
poivre du moulin

Grattez et lavez les moules. Pelez et hachez grossièrement les échalotes, lavez et séchez le persil plat, hachez-le également. Dans un grand faitout, faites fondre le beurre ; lorsqu'il est mousseux, ajoutez les échalotes et la moitié du curry. Faites cuire doucement 2-3 min sans cesser de remuer.
Versez le vin blanc puis les moules, ajoutez le bouquet garni, couvrez, et faites ouvrir les moules à feu vif en secouant le faitout de temps en temps. Lorsqu'elles sont toutes ouvertes, retirez-les du feu et filtrez leur jus de cuisson. Réservez les moules dans une jatte couverte d'une assiette.
Faites réduire de moitié le jus à feu vif, puis ajoutez le reste de curry, le persil et la crème fraîche. Laissez bouillonner quelques instants, rectifiez l'assaisonnement si nécessaire. Ajoutez les moules, enrobez-les délicatement de sauce crémeuse et servez sans attendre.

[harengs,
pommes à l'huile]

4 personnes
Préparation : 10 min
Cuisson : 15 min environ

700 g de pommes de terre
(ratte)
3 beaux oignons doux
1 échalote
1/2 bouquet de persil plat
10 cl d'huile d'arachide
8 filets de hareng à l'huile
sel et poivre du moulin

Pelez et lavez les pommes de terre. Épluchez puis coupez en rondelles les oignons doux. Pelez et hachez finement l'échalote. Lavez, séchez, effeuillez et hachez grossièrement le persil.

Posez les pommes de terre dans le panier d'un cuit-vapeur, saupoudrez-les de sel fin et couvrez-les de rondelles d'oignon. Faites-les cuire environ 15 min, selon leur grosseur : vérifiez leur cuisson en enfonçant la pointe d'un couteau dans chacune d'elles ; elles doivent rester un peu fermes.

Dans un grand saladier, mélangez l'huile, l'échalote et le persil. Donnez 4 tours de moulin à poivre et ajoutez les harengs.

Lorsque les pommes de terre aux oignons sont cuites, mélangez-les immédiatement avec les harengs et servez aussitôt.

Il est important que les pommes de terre soient servies tièdes. Si vous achetez les harengs chez un traiteur (et non sous vide), utilisez l'huile de macération pour en assaisonner les pommes de terre.

[fromages de chèvre
à l'huile d'olive]

4 personnes
Préparation : 10 min

2 branches de thym
2 branches de sarriette
1 branche de romarin
1 piment d'Espelette frais
2 gousses d'ail
50 cl d'huile d'olive
très fruitée
4 crottins de Chavignol frais
quelques grains de poivre

Lavez et séchez avec soin les herbes aromatiques et le piment. Épluchez les gousses d'ail.

Versez l'huile d'olive dans un bocal muni d'un couvercle. Ajoutez les herbes, les fromages, les grains de poivre et le piment, couvrez et fermez hermé-tiquement. Gardez au frais. Consommez sous 8 jours avec du pain de cam-pagne ou une salade de roquette.

Il est important que les fromages ne soient pas faits : en séjournant quel-ques jours dans l'huile, ils deviennent piquants.

4 personnes
Préparation : 15 min
Cuisson : environ 15 min
Réfrigération : 1 h
Macération : 48 h

1 citron jaune non traité
1 gousse d'ail
1 branche de thym
1 branche de romarin
1 feuille de laurier
1 darne de thon rouge
de 500 g
sel fin

Pour la marinade :
2 branches de thym
2 branches de romarin
2 feuilles de laurier
1 gousse d'ail
30 cl d'huile d'olive
1 cuil. à café de baies roses
1 cuil. à café de grains
de poivre noir

[thon à l'huile]

Préparez la marinade : lavez et séchez le thym, le romarin et le laurier. Pelez l'ail. Versez l'huile d'olive sur ces aromates, ajoutez la moitié des baies roses et des grains de poivre et laissez macérer 24 h.

Le lendemain, coupez le citron en rondelles et couvrez-le de sel fin. Réservez au frais 1 h.

Pelez l'ail. Lavez et séchez les aromates, ajoutez-les dans 1 litre d'eau salée ainsi que l'ail et le reste des grains de poivre et baies roses. Portez à ébullition, plongez le thon dans ce court-bouillon, coupez le feu et laissez refroidir.

Épongez la darne, éliminez la peau et les arêtes, puis mettez-la dans un bocal à couvercle. Ajoutez les rondelles de citron débarrassées de leur sel. Couvrez d'huile aromatisée, fermez et réservez au frais 24 h avant de déguster. Ne gardez pas plus de 3 jours.

poissons

poissons

marées
bistrotières

Le mérite du bistrot en matière de poisson tient à sa modestie : il n'est pas

question de se limiter aux poissons fins et coûteux, et l'on tire parti de la morue,

du merlan, de l'encornet, de la raie, du cabillaud, du maquereau… Toutefois, la

fraîcheur doit être optimale afin que ces préparations simples, goûteuses, et ces

cuissons rapides donnent le meilleur d'elles-mêmes.

[daurade en croûte de sel]

4 personnes
Préparation : 10 min
Cuisson : 30 min

1 daurade de 1,2 kg, vidée
1,5 kg de gros sel gris
1 bouquet de thym frais

Rincez la daurade sous l'eau courante. **P**réchauffez le four à 210 °C (th. 7). Lavez et séchez le thym. Réservez 2 belles branches ; émiettez le reste et mélangez-le au gros sel.

Dans un plat à four, déposez un lit de gros sel sur environ 1 cm d'épaisseur. Insérez dans le ventre du poisson les branches de thym. Déposez la daurade dans le plat et recouvrez-la entièrement du gros sel restant. Tassez pour former une croûte hermétique et régulière. Enfournez et laissez cuire 30 min.

Au moment de servir, cassez la croûte et éliminez les quelques grains de sel qui se promènent. Enlevez la peau et présentez aussitôt les filets assaisonnés d'une vinaigrette (p. 45) tiède.

[petits poivrons doux farcis à la morue]

4 personnes
Préparation : 20 min
Cuisson : 35 min
Dessalage : 12 h

400 g de morue
12 petits poivrons rouges
1/2 piment rouge
2 tomates
1/2 bouquet de basilic
1 gousse d'ail
20 cl d'huile d'olive
50 g de parmesan
fraîchement râpé

Mettez la morue dans de l'eau froide, dans une passoire, côté peau vers le haut, et laissez-la dessaler 12 h en changeant l'eau à plusieurs reprises.

Le lendemain, lavez, séchez et équeutez les poivrons, épépinez-les sans les fendre en deux. Lavez et séchez également le piment. Incisez les tomates de la pointe d'un couteau, plongez-les 1 min dans de l'eau bouillante, rafraîchissez-les sous l'eau froide et pelez-les. Éliminez les pépins et concassez la pulpe. Lavez, séchez, effeuillez le bouquet de basilic. Gardez quelques feuilles pour la décoration et hachez grossièrement le reste. Pelez la gousse d'ail, hachez-la finement.

Faites chauffer 5 cl d'huile d'olive dans une cocotte. Ajoutez les poivrons, couvrez et faites cuire doucement 10 min. Réservez.

Faites pocher 5 min la morue dans une eau bouillante non salée, puis effeuillez-la. Faites-la revenir avec les tomates concassées, l'ail haché et 5 cl d'huile d'olive dans la cocotte. Hors du feu, ajoutez le basilic haché et le piment.

Farcissez chaque petit poivron de morue pimentée ; tassez la farce en prenant garde de ne pas déchirer le poivron. Rangez tous les poivrons farcis dans un plat à gratin, arrosez d'huile d'olive, couvrez d'une feuille d'aluminium et faites cuire 15 min au four à 180 °C (th. 6).

Terminez la cuisson à découvert en couvrant les farcis de parmesan fraîchement râpé. Décorez de feuilles de basilic frais.

Ce plat est aussi bon chaud que froid. Dans ce dernier cas, servez-le avec quelques olives noires et une salade de roquette.

[thon mariné et compotée de fenouil]

4 personnes
Préparation : 15 min
Macération : 1 h
Cuisson : 40-45 min

1 darne de 600 g
de thon rouge
4 gousses d'ail
2 oignons
1 citron jaune
1 citron vert
1 piment rouge frais
20 g de gingembre
1 cuil. à soupe d'huile
de sésame grillé
6 cuil. à soupe d'huile
d'olive
4 bulbes de fenouil
1 dose de safran
1/2 bouquet de coriandre
sel et poivre du moulin

Partagez la darne de thon en huit en éliminant l'arête centrale et la peau. Réservez au réfrigérateur. Pelez, dégermez et hachez grossièrement 3 gousses d'ail et les oignons. Brossez sous l'eau courante les 2 citrons. Prélevez la moitié du zeste du citron vert et du citron jaune, hachez-les finement. Pressez ensuite les 2 agrumes. Lavez, séchez, épépinez et hachez le piment. Pelez et râpez le gingembre.

Mélangez tous ces ingrédients avec l'huile de sésame et 4 cuillerées à soupe d'huile d'olive. Salez, poivrez, versez le tout sur les morceaux de thon, couvrez d'un film alimentaire. Réservez 1 h au frais, en tournant les morceaux de temps en temps

Lavez, séchez et coupez en rondelles de 1/2 cm d'épaisseur les bulbes de fenouil. Faites chauffer l'huile d'olive restante dans une cocotte. Ajoutez le fenouil et la dernière gousse d'ail pelée et hachée grossièrement, faites colorer vivement quelques instants, versez 5 cl d'eau, salez et poivrez, ajoutez le safran et couvrez. Laissez mijoter 30 min en ajoutant un peu d'eau en cours de cuisson si nécessaire.

Préchauffez le four à 180 °C (th. 6).

Posez le thon dans un plat creux et couvrez-le de sa marinade. Enfournez et faites cuire 10-15 min en tournant les morceaux de temps en temps. Lorsque le poisson est cuit, ôtez-le du plat et maintenez-le au chaud entre deux assiettes.

Lavez, séchez et effeuillez la coriandre. Faites bouillir 3 min la marinade pour la réduire légèrement, ajoutez la coriandre fraîche, et nappez le thon de cette sauce. Servez aussitôt accompagné de la compotée de fenouil.

[encornets farcis au riz et à l'aneth]

4 personnes
Préparation : 30 min
Cuisson : 40 min

750 g de petits encornets
1 bouquet d'aneth
6 gousses d'ail
100 g d'olives noires
16 tomates-cerises
400 g de riz complet
de Camargue
5 cuil. à soupe d'huile
d'olive
3 cuil. à café de tapenade
sel et poivre du moulin

Demandez à votre poissonnier de nettoyer les encornets sans les ouvrir et de vous remettre les tentacules. Lavez-les puis séchez-les soigneusement dans un linge.

Lavez, séchez et hachez l'aneth. Pelez et hachez finement les gousses d'ail. Dénoyautez et hachez grossièrement les olives. Lavez les tomates. Rincez le riz sous l'eau courante.

Faites chauffer 2 cuillerées à soupe d'huile d'olive dans une sauteuse antiadhésive. Lorsqu'elle est chaude, faites-y revenir doucement la moitié de l'ail et de l'aneth, puis le riz. Couvrez d'eau, salez, poivrez. Laissez mijoter 30 min en remuant de temps en temps. Ajoutez un peu d'eau en cours de cuisson si nécessaire.

Lorsque le riz est tendre, ajoutez, hors du feu, le reste de l'aneth, la tapenade et les olives noires. Farcissez chaque encornet de ce mélange puis fermez-le avec 1 pique (ou cure-dents) en bois.

Dans la sauteuse, faites chauffer le reste de l'huile d'olive. Faites-y revenir l'ail, les tomates puis les encornets et les tentacules. Salez, poivrez et laissez cuire 10 min environ à feu doux jusqu'à ce qu'ils soient légèrement dorés et translucides. Servez aussitôt avec une petite salade de mesclun.

[brandade aux herbes]

Mettez la morue dans de l'eau froide, dans une passoire, côté peau vers le haut, et laissez-la dessaler 12 h en changeant l'eau à plusieurs reprises.

Le lendemain, épluchez les pommes de terre et faites-les cuire à l'eau bouillante salée (à raison de 10 g de sel par litre d'eau). Lavez, séchez et hachez l'aneth et le persil. Pelez et écrasez l'ail, mixez-le avec 5 cuillerées à soupe d'huile d'olive.

Coupez la morue en plusieurs morceaux et faites-la pocher 10 min dans une eau frémissante (non salée !). Égouttez-la, ôtez la peau, les arêtes, effeuillez-la. Épluchez les pommes de terre et écrasez-les au presse-purée. Ajoutez la morue, les herbes puis l'huile d'olive à l'ail sans cesser de tourner avec une cuillère en bois. Poivrez et salez si nécessaire. Étalez dans un plat à gratin, ajoutez un filet d'huile d'olive et réchauffez quelques instants au four à 180 °C (th. 6).

4 personnes
Préparation : 20 min
Dessalage : 12 h
Cuisson : 30-40 min

600 g de morue
1 kg de pommes de terre à purée
1 bouquet d'aneth
1/2 bouquet de persil plat
2 gousses d'ail
6 cuil. à soupe d'huile d'olive
sel et poivre du moulin

4 personnes
Préparation : 10 min
Cuisson : 20-30 min

1 kg de pommes de terre
à purée
25 cl de crème fraîche
épaisse
20 cl d'huile d'olive
sel et poivre du moulin

[purée de pommes
de terre à l'huile d'olive]

Pelez et lavez les pommes de terre. Faites-les cuire dans une grande casserole d'eau bouillante salée (à raison de 20 g de sel par litre d'eau). Vérifiez leur cuisson en enfonçant dans chacune d'elles la pointe d'un couteau. Lorsqu'elles sont tendres, égouttez-les puis écrasez-les au presse-purée. Ajoutez la crème fraîche, mélangez intimement, et, sans cesser de tourner avec une cuillère en bois, versez l'huile d'olive en filet. Rectifiez l'assaisonnement.

Servez cette purée pour accompagner un poisson rôti.

[tian d'aubergine, de courgette et tomate]

4 personnes
Préparation : 10 min
Cuisson : 1 h

1 belle aubergine
1 belle courgette
3 belles tomates
2 brins de thym frais
2 gousses d'ail
10 cl d'huile d'olive
sel et poivre du moulin

Lavez et séchez l'aubergine, la courgette et les tomates, ainsi que le thym. Pelez, dégermez et hachez grossièrement les gousses d'ail. Détaillez les légumes en rondelles d'environ 1/2 cm d'épaisseur.

Déposez les rondelles d'aubergine dans un plat à gratin en les faisant chevaucher. Parsemez d'ail haché et de thym, salez, poivrez, et nappez d'une partie de l'huile d'olive. Couvrez ensuite de rondelles de tomate et courgette, en alternance. Nappez du reste de l'huile d'olive. Salez, poivrez et faites cuire 30 min au four à 210 °C (th. 7), puis encore 30 min à 160-180 °C (th. 5-6).

Ce tian, aussi bon chaud que froid, accompagne volontiers un poisson grillé ou une épaule d'agneau confite.

[pavé de cabillaud à l'unilatérale]

4 personnes
Préparation : 15 min
Cuisson : 45-50 min

12 feuilles de laurier frais
12 pommes de terre
de taille moyenne
(charlotte)
120 g de beurre salé
10 cl de vin blanc sec
4 pavés de cabillaud
de 150 g chacun,
avec la peau
fleur de sel
poivre du moulin

Lavez et séchez les feuilles de laurier. Épluchez, lavez et séchez les pommes de terre, fendez-les sans les trancher complètement.

Rangez-les dans un plat à gratin et glissez dans chacune d'elles 1 feuille de laurier, parsemez de 60 g de beurre coupé en parcelles, versez le vin blanc et 5 cl d'eau. Salez, donnez 5 tours de moulin à poivre et couvrez d'une feuille de papier d'aluminium. Faites cuire 25 min au four à 180 °C (th. 6). Retirez le papier et laissez cuire encore 10 min.

Graissez une poêle antiadhésive avec 20 g de beurre et saisissez-y les pavés de cabillaud, côté peau. Baissez le feu et faites cuire 8 min.

Faites fondre doucement le beurre restant. Éliminez la peau des pavés de cabillaud, salez et poivrez. Nappez-les de beurre fondu et servez-les accompagnés de pommes de terre au laurier.

Recherchez, pour cette recette, du haddock d'Écosse véritable, églefin fumé entier et désarêté dont la saveur est incomparable. Il est plus petit que le cabillaud orangé que l'on vend couramment sous le nom de haddock.

[haddock au chou à la crème d'ail]

4 personnes
Préparation : 15 min
Cuisson : 50 min

1 branche de thym frais
1/2 chou vert
4 gousses d'ail
20 cl de crème fraîche épaisse
2 pincées de 4-épices
1 litre de lait pasteurisé
600 g de haddock
le jus de 1/2 citron
sel et poivre du moulin

Lavez, séchez et émiettez le thym. Supprimez les feuilles fanées du chou, ôtez le trognon sans trop séparer les feuilles. Plongez le chou 5 min dans une grande quantité d'eau bouillante pour le blanchir. Égouttez-le, détachez les feuilles et coupez celles-ci en lanières. Posez-les sur la grille d'un cuit-vapeur, parsemez de thym frais et faites cuire 20 min.

Enveloppez les gousses d'ail non pelées dans une feuille de papier sulfurisé, faites-les cuire 15 min au four à 180 °C (th. 6). Pelez-les, écrasez-les à la fourchette, ajoutez la crème fraîche, un peu de sel et de poivre, le 4-épices, mélangez. Réservez.

Portez le lait à ébullition et plongez-y le haddock. Faites-le pocher à feu doux en surveillant que le lait ne bout pas de nouveau.

Réchauffez la crème d'ail à feu doux. Ajoutez, en fouettant, le jus du citron. Rectifiez l'assaisonnement si nécessaire.

Égouttez puis servez le haddock accompagné de chou et nappé de crème d'ail.

[raie aux poivrons grillés]

4 personnes
Préparation : 30 min
Cuisson : 30 min
Macération : 30 min

1 gousse d'ail
1 échalote
6 cuil. à soupe d'huile d'olive
2 poivrons rouges
1 poivron jaune
3 cuil. à soupe de vinaigre
balsamique
750 g de raie
2 cuil. à soupe de câpres
dans la saumure
sel et poivre du moulin

Pelez et hachez finement l'échalote et l'ail. Couvrez d'huile.

Lavez et séchez les poivrons. Posez-les sur une tôle sous le gril du four et faites-les cuire environ 15 min : lorsque la peau noircit d'un côté, tournez-les afin que toutes les faces soient uniformément grillées. Mettez les poivrons dans un saladier, recouvrez-les hermétiquement d'un film alimentaire et patientez 10 min : ce temps d'attente, indispensable, permet à la peau de se décoller ; il vous sera ensuite plus facile de peler les poivrons. Fendez ceux-ci en deux dans leur longueur, dans le saladier (pour ne pas perdre le jus). Équeutez-les, épépinez-les puis pelez-les.

Coupez ensuite les poivrons en lanières. Ajoutez le vinaigre balsamique, l'huile d'olive à l'ail et à l'échalote, salez, poivrez. Laissez macérer 30 min dans un endroit tiède.

Préchauffez le four à 210 °C (th. 7).

Coupez la raie en deux et posez-la dans un plat à gratin. Ajoutez 1/2 cm d'eau puis enfournez et laissez cuire 10-15 min selon l'épaisseur du poisson.

Pendant ce temps, filtrez la marinade des poivrons et versez-la dans une casserole. Ajoutez les câpres et réchauffez à feu doux.

Lorsque la raie est cuite, levez rapidement les filets et déposez-les sur des assiettes bien chaudes, salez et poivrez. Ajoutez les poivrons, nappez de marinade chaude et dégustez.

Si vous ne savez pas lever les filets de la raie, coupez le poisson cru en quatre tronçons, faites-le cuire et servez-le tel quel.

[rougets barbets rôtis à l'ail]

4 personnes
Préparation : 10 min
Cuisson : 1 h 10 environ

8 rougets barbets
de 100 g chacun
16 petites tomates
bien mûres
1 branche de romarin
10 gousses d'ail
1 cuil. à café de sucre
semoule
15 cl d'huile d'olive
80 g de tapenade
d'olives noires
1/2 baguette
sel et poivre du moulin

Demandez à votre poissonnier d'écailler et de vider les rougets. Gardez les foies très goûteux (qui se trouvent derrière la tête), replacez-les dans les poissons.

Lavez et séchez les tomates et le romarin. Pelez, dégermez et coupez en quatre les gousses d'ail. Coupez les tomates en deux et rangez-les, face tranchée vers le haut, dans un plat à gratin. Dans chacune d'elles, enfoncez 1/4 de gousse d'ail et 1 brin de romarin. Saupoudrez de sucre, versez 10 cl d'huile d'olive, salez, poivrez. Faites cuire 1 h au four à 200 °C (th. 6-7). Baissez si nécessaire la température du four en fin de cuisson.

Coupez la baguette en tranches, toastez celles-ci avant de les frotter avec 1 gousse d'ail, puis couvrez de tapenade.

Dans une large poêle antiadhésive, faites chauffer l'huile d'olive restante avec la dernière gousse d'ail. Baissez le feu et poêlez les rougets 3 min de chaque côté, salez, poivrez. Servez aussitôt accompagné de tomates confites et de croûtons à la tapenade.

[sauce vierge aux herbes]

4 personnes
Préparation : 10 min
Cuisson : 10 min

1/2 bouquet de basilic
4 brins de persil plat
2 gousses d'ail
1/2 citron jaune
2 tomates
15 cl d'huile d'olive
sel et poivre du moulin

Lavez, séchez et hachez le basilic et le persil. Pelez, dégermez et hachez finement les gousses d'ail. Pressez le demi-citron.

De la pointe d'un couteau, fendez la peau des tomates. Plongez-les 2 min dans une casserole d'eau bouillante, rafraîchissez-les sous l'eau froide, pelez-les, épépinez-les et concassez la pulpe.

Dans une petite casserole placée au bain-marie, mélangez la concassée de tomate et l'huile d'olive. Salez, poivrez, ajoutez les herbes et l'ail. Faites cuire 10 min. Ajoutez le filet de citron juste avant de servir.

Cette petite sauce, simple et parfumée, accompagne tous les poissons blancs, grillés ou pochés.

Pelez l'oignon, la carotte et l'ail, effilez la branche de céleri. Piquez l'oignon du clou de girofle. Liez les éléments du bouquet garni ensemble.

Mettez tous ces ingrédients dans un faitout. Salez d'une poignée de gros sel et ajoutez 6 grains de poivre. Versez le vin blanc, complétez avec 1,5 litre d'eau, les parures et arêtes de poisson et portez à ébullition. Faites cuire 30 min à feu doux, puis filtrez au chinois.

Vous pouvez utiliser ce fumet aromatique pour y pocher un poisson ou le congeler dans des bacs à glaçons et vous en servir comme base de sauce.

1,5 litre de fumet
Préparation : 10 min
Cuisson : 30 min

1 oignon
1 carotte
1 gousse d'ail
1 branche de céleri
1 clou de girofle
1 bouquet garni (thym, laurier et queues de persil)
50 cl de vin blanc sec
1 kg d'arêtes et de parures de poissons maigres
gros sel, poivre en grains

[fumet de poisson]

Les sardines à l'huile sont depuis longtemps un symbole

du hors-d'œuvre d'appoint. À l'origine simple conserve,

solution pratique pour garder le poisson, elles sont un

mets de choix que leurs amateurs font vieillir des années

pour les bonifier. Fondants, onctueux, ces petits poissons

mordorés sont un orgueil de la Bretagne (qui produit les

meilleurs) et mériteraient le nom de « confit de sardines ».

[saumon au lard]

Ôtez la couenne de la poitrine fumée. Poivrez et salez légèrement les pavés de saumon, emballez chacun dans 2 tranches de lard maintenues par 2 piques en bois (ou cure-dents). Réservez au frais. Lavez, séchez et hachez finement le romarin. Épluchez, lavez et séchez les pommes de terre. Râpez-les grossièrement, ajoutez le romarin, salez et poivrez.

Dans une large poêle antiadhésive, faites fondre la moitié du beurre. Placez-y les pommes de terre, tassez du plat de la main pour former une galette. Faites cuire 5 min à feu doux et retournez la galette. Ajoutez le reste de beurre et faites cuire l'autre face. Laissez dorer doucement la galette en la retournant plusieurs fois.

Posez les ballotins de saumon au lard à mi-hauteur sous le gril du four. Faites-les cuire 15 min, en les retournant en cours de cuisson. Coupez la galette en quatre. Posez sur chaque part 1 pavé de saumon au lard et servez.

Ne râpez pas les pommes de terre à l'avance, elles noircissent très vite. Vous pouvez, en revanche, précuire la galette et en achever la cuisson juste au moment de faire cuire le saumon.

4 personnes
Préparation : 20 min
Cuisson : 35 min

8 tranches fines de poitrine fumée
4 pavés de saumon de 150 g chacun, sans la peau
1 branche de romarin
8 pommes de terre de taille moyenne (charlotte)
80 g de beurre salé
sel et poivre du moulin

[maquereaux à la moutarde]

Lavez et séchez les lisettes. Badigeonnez l'intérieur de moutarde. Réservez 30 min au frais.

Faites réduire le fumet de poisson et incorporez en fouettant la crème fraîche puis le reste de moutarde. Rectifiez l'assaisonnement.

Rangez les lisettes dans un plat à gratin, nappez-les de la moitié de la sauce et placez-les sous le gril du four. Faites cuire 5 min. Sortez le plat du four, retournez les poissons, nappez-les du reste de sauce et placez-les à nouveau 5 min sous le gril.

Servez avec une purée de pommes de terre à l'huile d'olive (p. 59).

4 personnes
Préparation : 10 min
Cuisson : 10 min
Réfrigération : 30 min

8 lisettes, ou jeunes maquereaux de printemps, vidées
8 cuil. à café de moutarde de Meaux en grains
20 cl de fumet de poisson (p. 68)
20 cl de crème fraîche
sel et poivre du moulin

[saumon rôti aux lentilles vertes]

4 personnes
Préparation : 10 min
Cuisson : 40-50 min

2 carottes
1 oignon
1 gousse d'ail
1 clou de girofle
1 bouquet garni (thym,
laurier et queues de persil)
400 g de lentilles vertes
100 g de lard fumé
4 pavés de saumon
de 150 g chacun,
avec la peau
4 cuil. à soupe d'huile
d'olive
sel et poivre du moulin

Épluchez les carottes, coupez-les en petits cubes. Pelez l'ail et l'oignon, piquez ce dernier du clou de girofle. Liez les éléments du bouquet garni.

Rincez les lentilles et mettez-les dans une casserole. Couvrez largement d'eau, ajoutez les carottes, l'oignon, l'ail, le lard fumé et le bouquet garni. Portez à ébullition, puis laissez mijoter 30 min à demi couvert ; salez à mi-cuisson. 10 min avant la fin de la cuisson des lentilles (elles doivent rester un peu fermes), placez les poissons (côté peau) sous le gril du four.

Passez les lentilles, éliminez le bouquet garni et l'oignon. Détaillez le lard en petits dés et faites dorer ces lardons dans 2 cuillerées à soupe d'huile d'olive. Ajoutez les lentilles, mélangez et gardez au chaud.

Ôtez la peau grillée des pavés de saumon, salez, poivrez, arrosez d'un filet d'huile d'olive et servez sur un lit de lentilles.

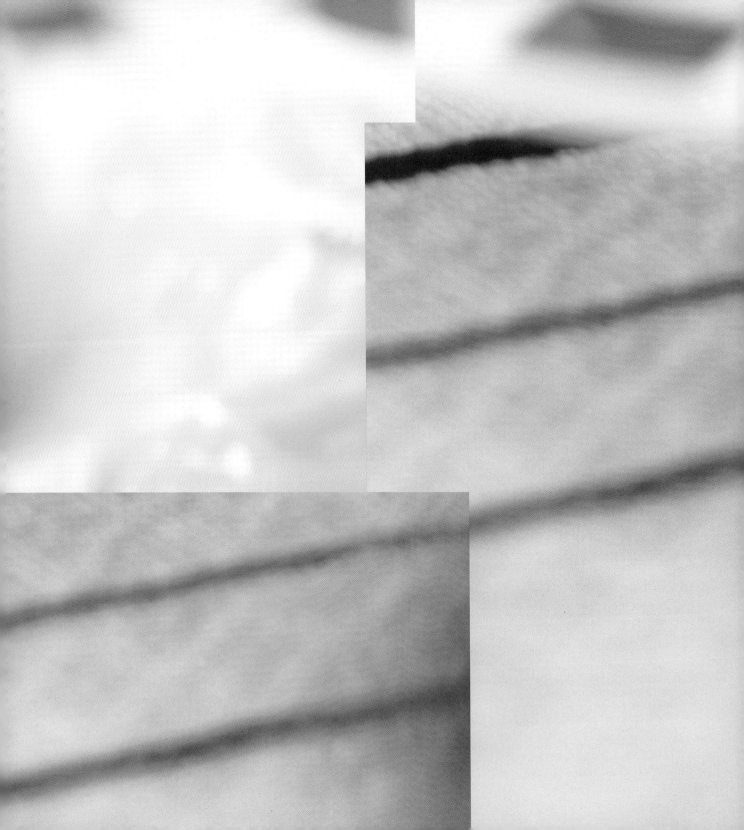

viandes

saignant
ou à point

Ce n'est pas un hasard si les plus illustres vieux bistrots de Paris et de province se trouvent à proximité des anciennes halles ou des abattoirs.

Souvent, les halles ont disparu mais les bistrots demeurent, maintenus en vie par de fidèles carnivores. Les temps ont changé, les forts des halles ne viennent plus s'accouder au zinc en tablier rougi… mais il reste l'onglet à l'échalote, le bœuf aux carottes et le pied de cochon grillé.

[chateaubriand au poivre]

4 personnes
Préparation : 15 min
Cuisson : 15 min

1 kg de pommes de terre
à frites (bintje)
4 pavés de filet de bœuf
de 200 g chacun
2 cuil. à café de poivre
mignonnette
40 g de beurre
10 cl de fond de veau
instantané
5 cl de crème fraîche
huile de tournesol
sel

Pelez les pommes de terre, détaillez-les en frites. Plongez-les dans l'huile chaude. Égouttez-les dès qu'elles remontent.

Roulez les pavés dans le poivre. Dans une poêle antiadhésive, faites chauffer le beurre et saisissez-y les pavés 3 min de chaque côté. Laissez reposer.

Préchauffez le four à 150 °C (th. 5). Déglacez la poêle avec le fond de veau, ajoutez la crème et le restant de poivre.

Laissez épaissir à feu doux. Salez si besoin.

Mettez les chateaubriands 5 min au four. Plongez à nouveau les frites dans l'huile pour les dorer. Servez les pavés nappés de sauce et accompagnés des frites.

La cuisson des chateaubriands doit être un peu moins vive que celle d'un morceau d'épaisseur normal afin d'éviter la formation d'une «croûte» qui empêcherait la diffusion de la chaleur au centre.

[pot-au-feu]

Lavez et pelez les légumes. Piquez les oignons de 1 clou de girofle. Coupez en quatre les carottes, les navets, le céleri. Coupez le vert avant de lier les poireaux ensemble.

Sortez la moelle des os et mettez-la à dégorger 2 h dans l'eau froide.

Coupez la viande en gros morceaux, mettez ceux-ci dans un grand faitout, couvrez d'eau froide et portez à ébullition. Faites cuire 40 min à feu moyen. Écumez le bouillon avec soin pour le dégraisser et ôter toute trace d'impuretés. Lorsqu'il n'y a plus aucune «mousse blanche», salez, ajoutez le bouquet garni, les grains de poivre noir, les oignons et le vert des poireaux. Laissez mijoter environ 2 h en écumant régulièrement.

Ajoutez alors tous les légumes sauf le chou. Plongez celui-ci à part dans une grande casserole d'eau bouillante pour le blanchir et ajoutez-le ensuite dans le bouillon.

Faites pocher la moelle dans le bouillon 10 min avant la fin de la cuisson du pot-au-feu.

Ôtez le bouquet garni et le vert des poireaux. Servez la viande entourée des légumes et baignée de bouillon. Accompagnez de gros sel, de poivre du moulin, de moutarde, de cornichons et de petits oignons au vinaigre.

4 personnes
Préparation : 45 min
Trempage : 2 h
Cuisson : 2 h 30

2 poireaux
2 navets
2 oignons
2 carottes
400 g de pommes de terre
300 g de chou vert
2 branches de céleri
2 clous de girofle
4 os à moelle
350 g de plat de côtes
350 g de macreuse
1 bouquet garni (thym, laurier, queues de persil)
10 grains de poivre
gros sel gris, sel et poivre du moulin, moutarde, cornichons et petits oignons au vinaigre (p. 40) pour servir

[hachis parmentier aux trois viandes]

Coupez les viandes en morceaux. Pelez et hachez les oignons. Lavez, séchez et hachez le persil.

Dans une cocotte, faites chauffer l'huile d'olive. Faites-y revenir les viandes et les oignons avec les épices. Salez et poivrez, parsemez d'un peu de persil, puis baissez le feu et laissez mijoter 30 min à couvert. Versez un peu d'eau en cours de cuisson si nécessaire.

Pendant ce temps, faites cuire les pommes de terre à l'eau bouillante salée. Portez le lait à ébullition. Lorsque les pommes de terre sont tendres, égouttez-les puis écrasez-les au presse-purée en ajoutant petit à petit le lait bouillant et 80 g de beurre : la purée doit être grossière et un peu ferme.

Hachez grossièrement les viandes au couteau, ajoutez le persil restant, le jus et les oignons. Rectifiez l'assaisonnement et étalez le tout dans un petit plat à gratin. Couvrez de purée. Parsemez de morceaux de beurre et faites cuire 20 min au four à 180 °C (th. 6). Dégustez avec une salade verte.

Traditionnellement, le hachis parmentier se faisait avec des restes de viande déjà cuits.

4 personnes
Préparation : 20 min
Cuisson : 50 min

300 g de noix de veau
300 g d'échine de porc
300 g de collier d'agneau
2 gros oignons
1 bouquet de persil plat
3 cuil. à soupe d'huile d'olive
2 pincée de noix de muscade
1 pincée de cumin
1 kg de pommes de terre à purée
20 cl de lait entier
100 g de beurre
sel et poivre du moulin

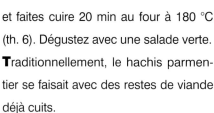

[épaule d'agneau confite]

4 personnes
Préparation : 10 min
Cuisson : 2 h 30

1 branche de thym
1 branche de romarin
1 épaule d'agneau
de 1,5 kg, désossée
5 cl d'huile d'olive
1 cuil. à café de harissa
12 échalotes
8 gousses d'ail
fleur de sel,
poivre du moulin

Préchauffez le four à 180 °C (th. 6). Lavez et séchez le thym et le romarin. Badigeonnez la viande d'huile d'olive et de harissa. Saupoudrez de fleur de sel, poivrez, et déposez l'épaule dans un plat en terre avec les herbes aromatiques. Couvrez d'une feuille de papier d'aluminium et faites cuire 1 h au four.

Pelez les échalotes. Au bout de 1 h de cuisson, ajoutez les échalotes et les gousses d'ail en chemise dans le plat. Couvrez à nouveau, baissez la température à 150 °C (th. 5) et faites cuire encore 1 h en arrosant de temps en temps l'agneau de son jus.

Retirez la feuille de papier d'aluminium et laissez l'épaule dorer environ 30 min. Servez accompagné d'un tian d'aubergine, de courgette et tomate (p. 60) ou de quelques tomates confites. Plus l'agneau cuira doucement et longtemps, meilleur il sera.

[gratin dauphinois]

4 personnes
Préparation : 20 min
Cuisson : 1 h 15

600 g de pommes de terre
(roseval)
100 g de comté
1 gousse d'ail
40 g de beurre ramolli
3 pincées de noix
de muscade
fraîchement râpée
400 g de crème fraîche
épaisse
sel et poivre du moulin

Pelez les pommes de terre, coupez-les en très fines rondelles, rincez-les sous l'eau courante et séchez-les dans un linge. Râpez le comté.

Frottez l'intérieur d'un plat à gratin avec la gousse d'ail pelée avant de le beurrer. Mélangez la noix de muscade à la crème fraîche, salez, poivrez.

Préchauffez le four à 180 °C (th. 6), et préparez un bain-marie suffisamment grand pour accueillir le plat à gratin.

Versez dans le plat un peu de crème, puis rangez une couche de pommes de terre, salez, poivrez, ajoutez un peu de comté. Renouvelez l'opération jusqu'à épuisement des pommes de terre et en terminant par une couche de crème fraîche (gardez-en un peu).

Enfournez et faites cuire 1 h environ au bain-marie. Parsemez du reste de comté et de crème. Laissez cuire encore 10 min au four.

[carottes glacées à l'orange]

Pelez, lavez, séchez et coupez les carottes en rondelles. Coupez l'orange en deux, pressez-la.

Dans une sauteuse, faites revenir les carottes au beurre, ajoutez le jus d'orange et versez de l'eau pour les couvrir juste à hauteur. Ajoutez le cumin, le sucre, donnez quelques tours de moulin à poivre, salez.

Laissez mijoter 15 min environ, jusqu'à ce que les carottes aient absorbé tout le liquide de cuisson et soient glacées.

4 personnes
Préparation : 5 min
Cuisson : 15 min

1 kg de carottes nouvelles
1 orange
30 g de beurre salé
1 pincée de cumin
1 cuil. à café de sucre
semoule
sel, poivre du moulin

[beurre aux herbes]

Préparation : 10 min

50 g de beurre
1 bouquet d'estragon,
de persil, de ciboulette
ou de coriandre au choix

Commencez par travailler le beurre en pommade à l'aide d'une cuillère en bois.

Lavez, séchez et hachez finement l'herbe choisie, mélangez au beurre ramolli en comptant 1 volume de beurre pour 1 volume de hachis d'herbe.

Pour confectionner un beurre d'échalote ou d'ail, procédez de la même façon après avoir blanchi les gousses au préalable. Diminuez la proportion d'ail.

Gardez ces beurres composés au frais. Vous les couperez juste avant de servir un poisson, une viande grillée ou des légumes cuits à la vapeur.

[carré d'agneau sur lit de pommes de terre]

4 personnes
Préparation : 20 min
Cuisson : 1 h

1 kg de pommes de terre
(charlotte)
1 kg d'oignons
2 carrés d'agneau
de 6 côtes premières
1 feuille de laurier
1 branche de thym
100 g de beurre
sel et poivre du moulin

Pelez, lavez puis coupez les pommes de terre en rondelles fines. Réservez-les dans une jatte d'eau froide. Pelez et émincez les oignons. Faites fondre 20 g de beurre dans une poêle. Lorsqu'il est mousseux, faites-y colorer les oignons à feu doux, puis arrêtez la cuisson.

Salez et poivrez les carrés d'agneau. Lavez et séchez les aromates.

Préchauffez le four à 210 °C (th. 7).

Beurrez le fond d'une grande cocotte et déposez-y une couche de pommes de terre. Parsemez d'oignons, de thym frais, salez, poivrez, ajoutez le laurier et des noisettes de beurre. Couvrez d'une deuxième couche de pommes de terre. Procédez ainsi jusqu'à épuisement, couvrez et faites cuire 30 min au four.

Posez les carrés côté gras sur les pommes de terre. Faites cuire 15 min au four, à découvert. Retournez les carrés et laissez la cuisson s'achever. Laissez reposer 10 min à la porte du four avant de servir.

[gratin de courgettes]

4 personnes
Préparation : 10 min
Cuisson : 15 min

1 kg de courgettes
1 gousse d'ail
2 cuil. à soupe d'huile
d'olive
20 cl de crème fraîche
1 pincée de noix
de muscade râpée
100 g de parmesan
fraîchement râpé
sel et poivre du moulin

Lavez, séchez et coupez en rondelles les courgettes. Pelez, dégermez et hachez finement l'ail.

Versez l'huile d'olive dans une sauteuse et, quand elle est chaude, faites-y revenir les courgettes. Ajoutez l'ail, la noix de muscade, salez, poivrez.

Laissez cuire 15 min environ à feu doux, jusqu'à ce que les légumes soient translucides.

Mélangez intimement la crème fraîche et le parmesan avec les courgettes, versez dans un plat et faites gratiner 3 min sous le gril du four.

Pour cette recette simple, choisissez un lapin fermier, jeune et aux articulations souples. Pour peler les oignons, vous pouvez les plonger quelques secondes dans l'eau bouillante. Présentez à table le riesling qui a servi à la cuisson.

[lapin au vin blanc]

4 personnes
Préparation : 15 min
Cuisson : 1 h

250 g d'oignons grelots
2 gousses d'ail
250 g de lard non fumé, frais ou demi-sel
50 g de beurre salé
1 beau lapin, coupé en morceaux, et ses abats
20 g de farine
5 cl de cognac
1 bouquet garni (thym, laurier, queues de persil)
75 cl de riesling
500 g de champignons de Paris
20 cl de crème fraîche
sel et poivre du moulin

Pelez les petits oignons et l'ail. Coupez le lard en lardons. Faites-les revenir dans une cocotte avec 30 g de beurre.

Farinez les morceaux de lapin. Retirez le lard et les oignons de la cocotte, et à la place faites-y revenir le lapin et les abats. Flambez au cognac. Réservez le foie. Salez, poivrez le lapin, ajoutez le bouquet garni et le riesling dans la cocotte. Laissez mijoter 30 min à couvert. Ajoutez les lardons, les oignons et le foie et faites cuire encore 20 min.

Pendant ce temps, coupez le bout sableux des pieds et lavez rapidement les champignons sous l'eau courante. Séchez-les et émincez-les. Faites-les cuire à la poêle dans le restant de beurre jusqu'à évaporation complète du jus de végétation. Ajoutez-les ensuite au lapin et laissez mijoter 10 min.

Sortez les morceaux de lapin et les champignons, éliminez le bouquet garni, et faites réduire le jus. Ajoutez la crème fraîche, rectifiez l'assaisonnement et faites cuire 5 min. Nappez le lapin aux champignons de cette sauce et servez accompagné de pommes de terre nouvelles cuites à la vapeur.

[paupiettes de veau aux olives]

4 personnes
Préparation : 30 min
Cuisson : 40 min

4 escalopes de veau
de 150 g chacune
120 g d'olives vertes
cassées
10 brins de coriandre
1 brin de thym-citron
1 œuf
140 g d'échine de porc
finement hachée
140 g de noix de veau
finement hachée
1 citron confit
40 g de beurre
2 pincées de fond de veau
instantané
15 cl de vin blanc sec
1 bouquet garni (thym,
laurier, queues de persil)
sel et poivre du moulin

Demandez à votre boucher d'aplatir les escalopes.

Dénoyautez les olives et hachez-les. Lavez, séchez et effeuillez 5 brins de coriandre et le thym. Cassez et battez l'œuf.

Mélangez les viandes hachées avec les herbes, l'œuf et 80 g d'olives. Salez, poivrez et formez 4 boules de farce. Posez chacune d'elles au centre des escalopes aplaties puis roulez celles-ci afin de bien enfermer la farce. Maintenez le tout avec de la ficelle de cuisine.

Coupez le citron confit en quatre. Dans une cocotte, faites fondre le beurre. Lorsqu'il est bien mousseux, faites-y dorer les olives restantes et les paupiettes sur toutes les faces. Salez, poivrez, saupoudrez de fond de veau et versez le vin blanc. Ajoutez le bouquet garni, couvrez. Faites cuire 30 min environ à feu doux en mouillant d'un peu d'eau si nécessaire.

Ajoutez les quartiers de citron confit, et laissez cuire les paupiettes encore 10 min. Parsemez de coriandre ciselée et servez aussitôt avec des pâtes fraîches ou des pommes de terre nouvelles à la vapeur.

[bœuf
aux carottes]

4 personnes
Préparation : 20 min
Cuisson : 3 h

1 kg de bœuf
dans le gîte ou jarret avant
1/2 bouquet de persil plat
1 kg de carottes
2 oignons
2 gousses d'ail
30 g de beurre
2 cuil. à soupe d'huile
d'arachide
20 g de farine
75 cl de vin rouge
75 cl de bouillon de viande
instantané
1 bouquet garni (thym,
laurier, queues de persil)
1 clou de girofle
sel et poivre du moulin

Coupez le bœuf en morceaux. Lavez, séchez et effeuillez le persil. Pelez les carottes, les oignons et l'ail. Hachez grossièrement les oignons. Détaillez les carottes en épaisses rondelles. Dégermez et écrasez l'ail.

Faites chauffer, dans une cocotte, le beurre et l'huile et mettez-y les oignons à colorer doucement. Réservez.

Farinez légèrement les morceaux de bœuf puis saisissez-les dans la cocotte avec l'ail écrasé. Salez, donnez plusieurs tours de moulin à poivre, puis mouillez avec le vin rouge et le bouillon de viande. Ajoutez les oignons, le bouquet garni, quelques feuilles de persil et le clou de girofle, couvrez et laissez mijoter 2 h à feu doux.

Ajoutez ensuite les carottes dans la cocotte et faites cuire encore 1 h.

Lorsque la viande est fondante, retirez les morceaux de la cocotte ainsi que les carottes. Filtrez la sauce et faites-la réduire quelques instants à feu vif. Rectifiez l'assaisonnement, ajoutez le reste de persil et nappez le bœuf aux carottes de sauce. Servez aussitôt.

Demandez à votre boucher de couper la volaille en morceaux, de séparer cuisses et hauts de cuisse et de partager chaque blanc en deux.

Pelez et coupez la courgette en dés. Lavez et effeuillez l'estragon. Pelez et écrasez l'ail. Faites fondre le beurre dans une large cocotte et faites-y dorer le poulet avec les lardons, l'ail et le curry. Salez, poivrez, ajoutez la moitié de l'estragon et les dés de courgette, couvrez et laissez mijoter 30 min en remuant de temps en temps. Ajoutez les abats et faites cuire 15 min.

Sortez les morceaux de poulet de la cocotte et maintenez-les au chaud. Versez la crème fraîche et l'estragon restant dans le jus de cuisson. Laissez bouillonner quelques instants, rectifiez l'assaisonnement.

Portez à ébullition une grande casserole d'eau salée. Faites-y cuire les tagliatelles *al dente* avant de les mélanger à la sauce. Servez aussitôt.

4 personnes
Préparation : 10 min
Cuisson : 50 min

1 poulet fermier de 1,3 kg, avec les abats
1 courgette
1/2 bouquet d'estragon
1 gousse d'ail
40 g de beurre
100 g de lardons de poitrine fumée
1/2 cuil. à café de curry en poudre
20 cl de crème fraîche
400 g de tagliatelles fraîches
sel et poivre du moulin

[poulet à l'estragon]

Que vous le prépariez en cocotte ou que vous le fassiez

rôtir, le poulet fermier doit être choisi de bonne taille.

Blanc ou jaune, il doit avoir la chair ferme et souple,

les pattes longues et les os des cuisses un peu courbes,

ce qui indique qu'il a couru. Tous les aromates lui

conviennent, mais l'estragon, le thym, le citron, l'ail et

le laurier vivent avec lui une véritable idylle.

[magret de canard au gros sel]

Faites des incisions en croisillons sur la graisse des magrets. Frottez au gros sel et réservez. Pelez les pommes de terre et le céleri. Coupez ce dernier en morceaux.

Portez à ébullition une grande casserole d'eau salée (à raison de 20 g de sel par litre d'eau) et faites cuire les pommes de terre et le céleri jusqu'à ce qu'ils soient tendres. Vérifiez la cuisson en enfonçant la pointe d'un couteau dans les légumes. Égouttez-les puis passez-les au moulin à légumes muni d'une grosse grille. Ajoutez le beurre, la moitié de la crème fraîche et un peu de lait chaud. Rectifiez l'assaisonnement, épicez avec la noix de muscade et réservez.

Posez les magrets, côté peau vers le haut, sur une grille allant au four. Allumez le gril et glissez les magrets à mi-hauteur, avec un plat mis dessous pour récupérer la graisse. Faites cuire ainsi les magrets 8 min, retournez-les et faites-les cuire à nouveau 8 min. Terminez la cuisson en les faisant dorer 4 min côté peau. Couvrez alors de papier d'aluminium et laissez reposer.

Portez le reste de la crème à ébullition, ajoutez les baies roses et le 4-épices, salez, poivrez. Réchauffez doucement la purée en ajoutant un peu de lait.

Émincez rapidement les magrets afin qu'ils ne refroidissent pas et répartissez-les dans les assiettes. Ajoutez la purée de céleri, nappez de sauce et servez sans attendre.

Pour éviter les odeurs désagréables pendant la cuisson des magrets, remplissez d'eau le plat dans lequel coule la graisse : cela lui évitera de brûler. Laissez reposer la viande après cuisson, elle sera rosée et tendre.

4 personnes
Préparation : 15 min
Cuisson : 20 min

2 magrets de canard
600 g de pommes de terre
à purée
400 g de céleri-rave
50 g de beurre
20 cl de crème fraîche
12,5 cl de lait entier
1 pincée de noix
de muscade râpée
1 cuil. à café de baies roses
2 pincées de 4-épices
gros sel gris
sel et poivre du moulin

4 personnes
Préparation : 10 min
Cuisson : 1 h 30 min

1 beau poulet fermier
de 1,3 kg, avec les abats,
vidé et non bridé
1 branche de laurier
comportant au moins
15 feuilles
24 gousses d'ail nouveau
50 g de beurre salé
fleur de sel
poivre du moulin

[poulet farci au laurier]

Préchauffez le four à 210 °C (th. 7). Lavez et séchez le laurier. Ôtez la première peau des gousses d'ail, mais ne les épluchez pas entièrement.

Salez et poivrez généreusement l'intérieur du poulet. Glissez-y le laurier, 16 gousses d'ail et les abats, puis liez les pattes avec de la ficelle de cuisine. Posez la volaille dans une large cocotte et badigeonnez-la de beurre ramolli. Poivrez, ajoutez les gousses d'ail restantes et enfournez.

Au bout de 30 min, baissez la température à 180 °C (th. 6), tournez la volaille afin que les blancs ne dessèchent pas et cuisent dans le jus. Retournez le poulet 15 min avant la fin de la cuisson et laissez-le dorer.

Avant de le servir, enlevez la branche de laurier. Écrasez les gousses d'ail et mélangez-les au jus de cuisson. Sortez l'ail et les abats qui se trouvaient à l'intérieur du poulet et dégustez.

desserts

desserts

un petit dessert ?

Peu de chose différencie les desserts de bistrot des desserts de grand-mère : tous deux ont en commun la simplicité, le désir de faire plaisir, les arômes de vanille et de cannelle. Le répertoire reste classique — tarte aux pommes, poires au vin, crème anglaise, fondant au chocolat — car ce sont des douceurs auxquelles on aime revenir encore et toujours, sans jamais s'en lasser.

4 personnes
Préparation : 10 min
Cuisson : 35 min
Réfrigération : 1 h au moins

1 litre de lait entier
pasteurisé
1 gousse de vanille
1 petit bâton de cannelle
1 gousse de cardamome
180 g de riz rond
30 g de zestes d'orange
confits
2 jaunes d'œufs
80 g de sucre semoule

[riz au lait épicé
et aux fruits confits]

Faites bouillir le lait avec la gousse de vanille fendue, la cannelle et la cardamome.

Mettez le riz dans une casserole, couvrez largement d'eau et portez à ébullition 1 min. Passez-le.

Retirez la cannelle et versez le lait sur le riz. Laissez cuire 30 min en remuant de temps en temps.

Coupez les zestes confits en petits dés. Battez les jaunes d'œufs avec le sucre jusqu'à ce que le mélange blanchisse puis incorporez-le délicatement au riz. Faites cuire 5 min et ajoutez les zestes.

Ôtez la gousse de vanille, laissez refroidir totalement avant de mettre au réfrigérateur. Servez glacé.

[crèmes au caramel]

8 petites crèmes
Préparation : 10 min
Cuisson : 20 min
Réfrigération : 1 h au moins

100 g de sucre semoule
75 cl de lait entier
pasteurisé
2 œufs + 4 jaunes

Préchauffez le four à 180 °C (th. 6), et préparez un bain-marie dans un plat suffisamment grand pour accueillir 8 ramequins.

Dans une petite casserole, faites fondre 40 g de sucre pour faire un caramel blond. Répartissez-le dans les ramequins.

Portez le lait entier à ébullition. Battez les œufs entiers et les jaunes avec 60 g de sucre jusqu'à ce que le mélange blanchisse. Ajoutez alors le lait bouillant, mélangez délicatement et répartissez dans les ramequins. Enfournez et faites cuire 30 min au bain-marie.

Laissez totalement refroidir avant de mettre au réfrigérateur. Servez dans les ramequins ou démoulez sur une assiette.

[crêpes flambées]

4 personnes (12 crêpes)
Préparation : 15 min
Repos : 30 min
Cuisson : 35 min environ

Pour la pâte à crêpes :
2 œufs
40 g de sucre
1 pincée de sel
120 g de farine
25 cl de lait entier
pasteurisé

1/2 orange
1/2 pamplemousse
60 g de beurre ramolli
2 cuil. à soupe de miel
d'oranger
10 cl de Grand-Marnier
1 cuil. à soupe d'huile
d'arachide

Préparez la pâte à crêpes : fouettez les œufs avec le sucre et le sel jusqu'à ce que le mélange blanchisse. Versez alors la farine en pluie, puis petit à petit le lait pour ne pas faire de grumeaux. Laissez reposer 30 min.

Brossez les agrumes sous l'eau courante et prélevez leur zeste à l'aide d'un couteau-économe. Détaillez-les en fins bâtonnets puis plongez-les 3 min dans l'eau bouillante pour les blanchir.

Travaillez le beurre avec les zestes, le miel et la moitié du Grand-Marnier.

Graissez une poêle antiadhésive de 25 cm de diamètre avec un papier absorbant huilé et faites-y les crêpes : versez 1 petite louche de pâte, étalez rapidement, attendez 1 min, puis retournez la crêpe à la spatule et faites cuire 1-2 min. Posez sur une assiette. Confectionnez ainsi une douzaine de crêpes.

Au moment de servir, badigeonnez les crêpes d'un peu de beurre d'agrumes et pliez-les en quatre. Mettez-les dans la poêle à feu doux. Faites chauffer le reste du Grand-Marnier, flambez, puis versez sur les crêpes. Servez.

[pâte brisée]

Tamisez la farine. Coupez le beurre en parcelles. Mélangez le sel et la farine, ajoutez le beurre et travaillez la pâte en la frottant entre vos mains pour obtenir une sorte de sable.

Versez 5 cl d'eau et formez très rapidement une boule. Écrasez-la de la paume de la main, formez à nouveau une boule et laissez-la reposer 30 min, dans un endroit frais, couverte d'un linge.

Vous pouvez aussi sucrer légèrement cette pâte.

4 personnes
Préparation : 10 min
Repos : 30 min

200 g de farine
125 g de beurre
1 pincée de sel

[pâte sablée]

4 personnes
Préparation : 10 min
Repos : 1 h

125 g de beurre salé ramolli
250 g de farine
1 œuf
100 g de sucre en poudre
25 g de sucre vanillé

Mélangez du bout des doigts le beurre ramolli avec la farine tamisée, puis formez une fontaine. Mettez-y l'œuf, les sucres, et amalgamez le tout rapidement pour obtenir une pâte homogène.

Formez une boule, emballez-la dans une feuille de papier sulfurisé et gardez-la 1 h au frais avant de l'utiliser.

[pâte feuilletée]

4 personnes
Préparation
et repos : 1 h 15-2 h

250 g de beurre fin
250 g de farine tamisée
5 g de sel

Préparez la détrempe : faites fondre 50 g de beurre. Mélangez la farine au sel et formez une fontaine. Versez 12 cl d'eau au centre puis amalgamez doucement la farine en évitant la formation de grumeaux.

Incorporez le beurre fondu, mélangez rapidement pour rendre cette détrempe homogène et formez une boule. Laissez reposer 30 min au frais.

Sortez le beurre restant du réfrigérateur et placez-le entre 2 feuilles de film alimentaire. Tapez dessus avec le rouleau à pâtisserie avant de l'aplatir en 1 carré de 15 cm de côté.

Farinez un plan de travail et abaissez la détrempe en un carré de 25 cm de côté. Posez le beurre en losange au centre et repliez les coins pour former une enveloppe. Farinez à nouveau le plan de travail et posez la pâte face à vous. Étalez-la en un rectangle 3 fois plus long que large. Repliez-le en trois sur lui-même, faites-le pivoter de 1/4 de tour et, toujours face à vous, étalez à nouveau la pâte. Repliez alors le rectangle en trois et laissez reposer 15 min.

Recommencez l'opération (abaissez, pliez, tournez) 4 fois, en respectant le temps de repos tous les 2 tourages.

[poires au vin et aux épices]

Brossez l'orange sous l'eau courante, puis prélevez la moitié du zeste et détaillez celui-ci en fins bâtonnets. Pressez une moitié de l'orange. Fendez la gousse de vanille.

Dans une large casserole, faites chauffer le vin rouge avec le jus et le zeste de l'orange, le sucre roux et les différentes épices.

Pelez les poires délicatement, puis plongez-les dans le vin parfumé. Faites bouillonner environ 5 min à couvert et laissez refroidir.

Au moment de servir, retirez les poires du jus. Faites réduire celui-ci jusqu'à ce qu'il devienne sirupeux. Nappez-en alors les fruits et dégustez aussitôt.

4 personnes
Préparation : 20 min
Cuisson : 30 min

1 orange
1 gousse de vanille
1 litre de vin rouge
(côtes-du-rhône)
200 g de sucre roux
1 bâton de cannelle
1 bonne pincée
de noix de muscade
fraîchement râpée
4 poires (doyenné
du comice), juste mûres

Pour le sucre vanillé :
2 gousses
de vanille Bourbon
500 g de sucre semoule
500 g de sucre roux

Pour le sucre à la cannelle :
3 cuil. à soupe de cannelle
en poudre
1 kg de cassonade
1 beau bâton de cannelle
de Ceylan

[sucres aromatisés]

Sucre vanillé : fendez les gousses de vanille en deux dans la longueur. Mettez-les dans un bocal muni d'un couvercle. Mélangez les deux sucres et versez-les sur les gousses. Fermez.

Sucre à la cannelle : mélangez la cannelle en poudre à la cassonade. Versez dans un bocal muni d'un couvercle, ajoutez le bâton de cannelle et fermez.

Attendez 8 jours avant d'utiliser ces sucres aromatisés pour des laitages ou des salades de fruits.

[pommes au four à la cannelle et à la vanille]

4 personnes
Préparation : 10 min
Cuisson : 45 min

4 belles pommes
(reine des reinettes)
40 g de beurre
40 g de sucre semoule
1 cuil. à soupe de cannelle
en poudre
2 gousses de vanille
Bourbon
crème anglaise (p. 112)

Préchauffez le four à 180 °C (th. 6). Lavez et séchez les pommes, évidez-les. Posez-les dans un plat à gratin.

Travaillez le beurre en pommade avec la moitié du sucre semoule et la cannelle en poudre. Farcissez chacune des pommes de ce beurre parfumé et de 1/2 gousse de vanille fendue dans la longueur. Saupoudrez du sucre restant, enfournez.

Faites cuire environ 45 min, jusqu'à ce que les pommes soient tendres. Vérifiez la cuisson en enfonçant la pointe d'un couteau dans les fruits.

Servez les pommes encore tièdes accompagnées d'une crème anglaise bien froide.

[œufs à la neige]

Cassez les œufs en séparant les blancs des jaunes, et préparez la crème anglaise selon la recette indiquée p. 112.

Battez les blancs en neige avec le sel, ajoutez 100 g de sucre, puis montez-les en neige ferme. Prenez de généreuses cuillerées à soupe de blancs d'œufs et faites-les pocher, 2 par 2, dans de l'eau frémissante. Faites-les cuire sur toutes les faces environ 2 min, égouttez-les. Posez-les sur la crème anglaise et réservez au frais.

Préparez le caramel 30 min avant de servir : dans une casserole à fond épais, faites chauffer le sucre avec 1 cuillerée à soupe d'eau et un filet de jus de citron ; dès qu'il devient brun clair, versez-le sur les blancs et la crème. Servez aussitôt.

4 personnes
Préparation : 20 min
Cuisson : 10 min

4 œufs
50 cl de lait entier
pasteurisé
1 gousse de vanille
Bourbon
150 g de sucre
1 pincée de sel

Pour le caramel :
50 g de sucre
le jus de 1/2 citron

Si votre crumble est épais, faites-le cuire plus longtemps à four plus doux.

Ces gâteaux, pas contrariants, acceptent d'être un peu mijotés. L'addition de

poudre d'amandes à la pâte produira un crumble vraiment royal.

[crumble pommes-poires au gingembre]

4 personnes
Préparation : 15 min
Cuisson : 15 min

100 g de farine
100 g de sucre semoule
3 pincées de gingembre
en poudre
1 pincée de sel
100 g de beurre
3 poires (doyenné
du comice) mûres
2 pommes
(reine des reinettes)
20 cl de crème fraîche
épaisse

Dans une jatte, mélangez la farine, le sucre semoule, le gingembre en poudre et le sel. Ajoutez le beurre bien froid coupé en petits morceaux. Travaillez le mélange en le frottant entre vos mains jusqu'à obtenir un sable grossier. Réservez au réfrigérateur.

Préchauffez le four à 210 °C (th. 7).

Pelez les fruits, coupez-les en petits morceaux et répartissez-les dans 4 plats à œufs de 15 cm de diamètre. Sortez la pâte à crumble du réfrigérateur et émiettez-la sur les fruits. Enfournez et faites cuire environ 15 min, jusqu'à ce que les crumbles soient dorés. Achevez la cuisson par un passage rapide sous le gril.

Servez tiède, accompagné de 1 cuillerée de crème fraîche. Si vous faites ce dessert dans un grand plat, doublez le temps de cuisson.

[baba au rhum]

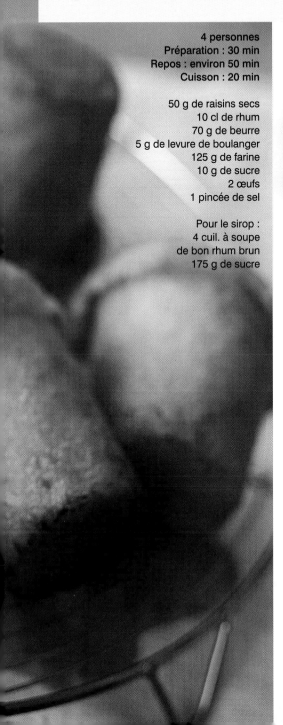

4 personnes
Préparation : 30 min
Repos : environ 50 min
Cuisson : 20 min

50 g de raisins secs
10 cl de rhum
70 g de beurre
5 g de levure de boulanger
125 g de farine
10 g de sucre
2 œufs
1 pincée de sel

Pour le sirop :
4 cuil. à soupe
de bon rhum brun
175 g de sucre

Mettez les raisins secs à macérer dans le rhum. Sortez le beurre du réfrigérateur.

Délayez la levure dans 1 cuillerée à soupe d'eau tiède. Dans un large saladier, disposez la farine en fontaine et mettez au centre le sucre, 1 œuf, le sel et la levure délayée. Travaillez le mélange à la spatule pour qu'il devienne élastique. Ajoutez le second œuf sans cesser de travailler la pâte, puis incorporez 50 g de beurre ramolli et les raisins égouttés. Laissez la pâte lever 20 min dans le saladier.

Beurrez 8 moules à baba. Rabattez la pâte puis répartissez-la dans les moules et laissez lever à nouveau 30 min dans un endroit tiède.

Préchauffez le four à 210 °C (th. 7).

Lorsque la pâte remplit bien les moules, enfournez et faites cuire 20 min environ. Vérifiez la cuisson en enfonçant dans les babas la pointe d'un couteau : elle doit ressortir sèche.

Préparez le sirop en faisant bouillir 25 cl d'eau avec le rhum brun et le sucre.

Démoulez les babas sur une grille, au-dessus d'un plat, et imbibez-les de sirop alcoolisé. Posez-les dans un plat creux et arrosez-les régulièrement du jus qui s'écoule.

Servez-les nature ou garnis de quelques fruits confits et de crème Chantilly.

Vous pouvez également faire un grand baba dans un moule à manqué antiadhésif de 20 cm de diamètre. Dans ce cas, augmentez le temps de cuisson de 10 min.

[tarte aux pommes, caramel au beurre salé]

4 personnes
Préparation : 20 min
Cuisson : 40 min

3 belles pommes acidulées
350 g de pâte feuilletée
(p. 101)
20 g de farine
30 g de beurre

Pour le caramel :
100 g de sucre
100 g de crème fraîche
20 g de beurre salé

Pelez les pommes, évidez-les et détaillez-les en fines tranches. Sur un plan de travail fariné, étalez la pâte feuilletée en un cercle d'environ 30 cm de diamètre, sur une épaisseur de 3-4 mm. Garnissez-en un moule d'environ 25 cm de diamètre. Préchauffez le four à 210 °C (th. 7).

Rangez les pommes sur la pâte, parsemez-les de beurre coupé en morceaux, enfournez et faites cuire 30-40 min.

Préparez le caramel : dans une petite casserole, faites fondre le sucre à feu doux ; dans une autre, faites chauffer la crème fraîche. Lorsque le sucre prend une belle couleur caramel, ajoutez la crème et, sans cesser de remuer, faites cuire jusqu'à l'obtention d'un «toffee». Versez dans une terrine et mélangez délicatement au beurre salé. Laissez refroidir.

Lorsque la tarte est cuite, sortez-la du four. Démoulez-la sur une grille et laissez-la tiédir avant de la napper de caramel. Dégustez sans attendre.

[pâte à tarte de mamie Alice]

350 g de pâte
Préparation : 5 min

120 g de beurre salé
150 g de farine
30 g de Maïzena
4 g de levure
1 pincée de sel fin
1 œuf

Faites fondre le beurre à feu doux.

Mélangez la farine, la Maïzena, la levure et le sel, ajoutez l'œuf et mélangez énergiquement à la fourchette pour obtenir un «sable».

Versez le beurre fondu et travaillez rapidement avec une cuillère en bois pour former une boule. Étalez-la aussitôt, de la paume de la main, dans un moule de 30 cm de diamètre. Garnissez de fruits, ou bien d'un appareil salé, et faites cuire environ 30 min à four chaud.

Vous pouvez garder cette pâte étalée, couverte d'un film alimentaire, 2 jours au réfrigérateur (la tarte n'en sera que meilleure).

Faites bouillir le lait avec la gousse de vanille fendue en deux dans la longueur. Couvrez et laissez infuser 10 min. Retirez la gousse.

Pendant ce temps, battez les jaunes d'œufs avec le sucre jusqu'à ce que le mélange blanchisse. Versez petit à petit le lait parfumé, mélangez et transvasez dans une casserole. Faites cuire 15 min à feu très doux, sans cesser de remuer, jusqu'à ce que la crème épaississe et nappe la cuillère. Versez-la aussitôt dans un saladier et laissez-la refroidir.

La crème ne doit jamais bouillir : les jaunes d'œufs coaguleraient et formeraient des grumeaux.

4 personnes
Préparation : 10 min
Cuisson : environ 15 min

50 cl de lait entier pasteurisé
1 gousse de vanille Bourbon
4 jaunes d'œufs
50 g de sucre

[crème anglaise]

La tarte des demoiselles Tatin fait partie de ces plats

légendaires que l'on dit nés d'une erreur : une des sœurs

aurait renversé la tarte, et par souci d'économie en aurait

mené la recette à son terme. Le résultat valait de prendre

ce risque. Quant à la crème brûlée, apparue aux menus

des bistrots dans les années 80, elle aurait ses origines

en Catalogne ou dans les cuisines de l'université d'Oxford.

[tarte Tatin aux poires]

4 personnes
Préparation : 15 min
Cuisson : 30 min

3 belles poires
(doyenné du comice)
200 g de pâte feuilletée
ou brisée (p. 101)
20 g de farine
100 g de sucre
1 pincée de cardamome
en poudre
1 pincée de cannelle
en poudre
80 g de beurre
15 cl de crème fleurette

Pelez les poires, détaillez-les en gros quartiers. Farinez un plan de travail et étalez la pâte en un cercle de 24 cm de diamètre, épais de 2 mm.

Préchauffez le four à 210 °C (th. 7). Mélangez le sucre et les épices. Faites fondre doucement le beurre dans un moule antiadhésif de 22 cm de diamètre et de 5 cm de hauteur. Saupoudrez-le de 80 g de sucre épicé et déposez-y les poires bien serrées les unes contre les autres ; répartissez le reste des quartiers sur le dessus. Ajoutez le sucre restant et faites cuire 10 min : les fruits doivent juste caraméliser. Laissez refroidir.

Pendant de temps, fouettez la crème fleurette au batteur jusqu'à ce qu'elle devienne mousseuse et aérienne. Réservez au frais.

Piquez la pâte de quelques coups de fourchette et posez-la délicatement sur les poires. Rentrez les bords à l'intérieur du plat, puis enfournez. Faites cuire 15 min, puis baissez la température à 170 °C (th. 5-6) et laissez cuire encore 5 min.

Démoulez la tarte encore chaude et servez-la avec la crème fouettée.

[crème brûlée à la vanille]

Portez à ébullition le lait et la crème fleurette, puis ajoutez les gousses de vanille fendues en deux. Couvrez et laissez infuser 30 min hors du feu.

Préchauffez le four à 70 °C (th. 2-3). Battez les jaunes d'œufs avec le sucre semoule, puis ajoutez le lait vanillé. Mélangez et passez dans un chinois.

Répartissez la crème dans 4 plats à œufs en porcelaine et faites cuire 40 min au four.

Laissez refroidir totalement les crèmes avant de les mettre au frais. Juste avant de les servir, saupoudrez-les d'une fine couche de cassonade et passez-les quelques instants sous le gril du four.

4 personnes
Préparation : 15 min
Cuisson : 40 min
Réfrigération : 1 h au moins

15 cl de lait
50 cl de crème fleurette
2 gousses de vanille
Bourbon
7 jaunes d'œufs
100 g de sucre semoule
30 g de sucre roux

4 personnes
Préparation : 15 min
Cuisson : 7-10 min

100 g de chocolat noir
à 60 % de cacao
85 g de beurre
60 g de sucre
4 œufs
10 g de Maïzena
3 cl de café fort
1 pincée de sel

[gâteau fondant chocolat-café]

Râpez le chocolat et faites-le fondre doucement au bain-marie. Posez 75 g de beurre par-dessus, il fondra en même temps que lui. Beurrez 4 ramequins hauts en porcelaine ou 4 moules en aluminium et saupoudrez-les de sucre.

Cassez les œufs en séparant les blancs des jaunes. Fouettez les jaunes avec 40 g de sucre jusqu'à ce que le mélange blanchisse puis ajoutez la Maïzena. Battez les blancs en neige ferme avec le sel. Mélangez le chocolat et le beurre fondus, laissez refroidir avant d'ajouter les jaunes d'œufs et enfin le café (ne travaillez pas trop ce mélange). Incorporez-le délicatement aux blancs en neige et garnissez-en les moules.

Préchauffez le four à 210 °C (th. 7). Enfournez les gâteaux et faites cuire 7 min s'ils sont dans des moules en aluminium ou 10 min s'ils sont en porcelaine. Démoulez délicatement dans chaque assiette et servez tiède.

[glossaire]

Ail : il se conserve plusieurs mois dans un endroit sec, mais commence à germer au bout de 3 mois. Il vaut mieux alors dégermer les gousses avant de les consommer cuites ou crues : elles seront plus digestes.

Basilic : il représente la cuisine du soleil mais n'est vraiment savoureux et présent sur les marchés qu'aux beaux jours. Pour le conserver durant les mois gris, hachez-le grossièrement, couvrez-le d'huile d'olive et congelez-le dans de petits contenants.

Cardamome : cette épice, très utilisée en Inde et au Moyen-Orient, se présente sous forme de capsules contenant des grains. Il en existe trois variétés : verte, blanche et brune.

Carvi : on le confond souvent avec le cumin, qui a pourtant une saveur très différente. Le carvi est très présent dans les cuisines d'Europe centrale et de l'Est, dont il parfume les pains et la pâtisserie.

Citrons confits : ils sont de deux sortes — ceux, confits dans le sucre, dont on utilise les zestes pour parfumer le cake ou le riz au lait. Quant à ceux confits dans la saumure, ils sont utilisés dans la cuisine marocaine et se marient parfaitement avec le veau et l'agneau. Vendus en vrac ou en bocaux dans les épiceries orientales, ils se conservent plusieurs mois au réfrigérateur.

Épices : Il est préférable de les acheter « entières », en graines ou en bâton, plutôt que déjà moulues ; elles garderont leur parfum plus longtemps. Il vous suffira de les râper ou de les pulvériser au moment de les utiliser.

Herbes aromatiques : elles parfument divinement les plats les plus simples. Si vous les utilisez à chaud, ne les mettez pas en début de cuisson, car elles perdraient leur saveur ; mélangez-les juste au dernier moment.

Parmesan : ce fromage italien de lait de vache porte le nom, quand il est d'origine, de « parmigiano reggiano » et a alors au moins 1 an d'affinage avant d'être commercialisé. Il est préférable de le râper juste avant de l'utiliser. Évitez d'acheter du parmesan râpé en sachet, dont la qualité est fort médiocre, et qui n'a rien à voir avec ce roi des fromages.

Pâte à wontons : ces petits carrés de pâte fraîche aux œufs servent à la confection des raviolis chinois. Vendus dans les rayons frais des épiceries asiatiques, ils peuvent éventuellement être remplacés par de la pâte fraîche à lasagnes vendue, elle, chez les traiteurs italiens.

Safran : cette épice, très prisée et très chère, se présente sous la forme de petits filaments rouge foncé — les stigmates du pistil d'un crocus. Vendu en dosettes, le safran parfume la bouillabaisse, la paella, le risotto…

Sucre : il en existe plusieurs variétés. Le meilleur est issu de la canne à sucre et non de la betterave. Plus ou moins raffiné, il offre des parfums et des textures différentes. N'hésitez pas à en avoir plusieurs : cassonade, mélasse, vergeoise…

annexes

[index alphabétique
des recettes]

[table des matières]

[remerciements]

Pour Margot, Tristan et Philippe.

Un grand merci à Marine Labrune pour son assistance précieuse et charmante. Un grand merci aussi à Jean et Alice qui ont goûté un grand nombre de recettes et m'ont donné leur avis éclairé.

Valérie Lhomme

L'éditeur remercie Édouard Collet, Christine Martin et Mélanie Joly pour leur aide précieuse et Marine Barbier pour ses lectures attentives.

[crédits photographiques]

Couverture : Editing / J.P. Bajard

p. 10 : The Image Bank / Marvin E. Newman ; p. 32 : Agence Ana / J. du Sorbet ; p. 52 : Editing / J.P. Bajard ;

p. 74 : Tony Stone Images / Martine Mouchy ; p. 96 : Tony Stone Images / Joe Cornish.

Imprimé et relié en France par *Partenaires-Livres* ® / cl

Dépôt légal : 6927-04-2001

N° d'édition : OF 13583

ISBN : 2-01-23-6495-0

23.77.6495.03/8